《黃賓虹全集》編輯委員會編

黃賓虹全集

6

山水畫稿

山東美術出版社・浙江人民美術出版社

主　编・王伯敏
分卷主编・吴宪生

目次

導語・領悟而生

藝術留傳，在精神不在形貌；貌可學而至，精神由領悟而生。無分繁簡，不辨工拙，而各有優長。

——黄賓虹《論畫宜取所長》

臨古與寫生畫稿，在黄賓虹所遺存的作品中非但數量可觀，所記録其師古人、師造化的信息值得細細探討。以黄賓虹的觀念，首先是從研習古人成法入手，掌握中國畫空間觀與表達的語言模式，而後才是觀景寫生。同時，他却反對有清以來越演越烈的依賴《芥子園畫傳》等畫譜的學畫方式。古人理法之本源在自然造化中，他認爲畫譜提供了一個程式化的範本，却遠離了自然生命的鮮活氣息，也即斷失了與古人真傳悟對的機緣。所以，他極力主張親炙自然。

現存的畫稿中一部分，爲二三十年代在黄山、雁蕩、浙東、川、粤、桂等地游歷時留下的寫生稿。寫生稿大致可分兩種，一種用鉛筆，一種用墨筆。鉛筆稿突出了現場性，只巴掌大小，單筆勾畫出山脉津梁輪廓，從所標地名可知，蘇北、雁蕩、桂粤、川蜀，所到之處差不多是全程記録。雖忽忽幾筆，但這是心、眼所到最直接之記録。其上間或記述地域地理風俗物候特徵以及重要歷史事件，可知每到一地，黄賓虹總設法查閲史志記載。山川風物必有歷史人文的積澱痕迹，所以，黄賓虹筆下勾畫的山川景物已是經過心與眼的剪裁。更大量的墨筆寫生稿，想必不是現場所畫，當是游歷旅程中的案頭記録或過後默憶。其中有將游歷寫生所得與古人畫法相證的意圖。比如有兩種黄山寫生，一種取法于石濤、梅清的連筆勾畫，以表現雲氣的奇幻；一種取法戴本孝墨綫密皴寫怪石欹側以營造渾厚體積感，不同于臨古稿的是，這裏摻入了身臨真山水的『現場感』。而武夷山寫生，則一種追寫對大自然真山真水的感受，一種詳實記寫自己所見。由此可知，他的寫生圖稿既爲識讀天地，也是識讀古今。這種結合對古人的臨擬、感受又面對真山實水感悟自然的寫生方法，貫穿于他的一生，由此錘煉出一種屬于他的語言表達模式。

他八十多歲在北平時寫給朋友的信中提到，旅途中因舟車匆促，他是用『勾古畫法』即古人墨迹可見的一種簡略的多爲單綫勾勒之法，以記録所見之真山水。也就是説，他摹習古人畫迹時所得的方法，已與眼前的實景觀察描寫融納爲一個整體的形式系統。這是一個艱苦的創造性和實踐性轉换的過程。戴本孝曾稱『六法無多德』，黄賓虹亦警覺《芥子圖畫傳》對畫史傳統可能的毁蝕作用，這之間有着一脉相承的思致理路，而他更着意于探求既非偏隘又是具體而切實可行的實踐方法。

可歸諸『勾古畫法』的臨古畫稿，也是上千幅畫稿中的一個大類。有用毛邊元書紙自己裝訂成册的『臨古畫稿』，臨習對象從唐、五代、王維、鄭虔、荆、關、董、巨到明末清初的新安、金陵及四王諸派，也多有畫史未載之隱逸畫家。黄賓虹少年時即開始不斷尋訪，觀摩公私收藏，當年必有臨習古畫的稿本，只是已不多見。一九〇八年始，黄賓虹參編《神州國光集》《神州大觀》刊行同道所藏之金石書畫。一九二四年爲有正書局主編《中國名畫集》，所鑒選的古畫當在千數。一九三五年始，應聘鑒審故宮藏畫，歷時三年，録下審畫筆記六十册，内詳述了對四千餘件藏品所作的鑒别、評騭。從他給朋友的信函及稿本上所呈現的筆墨成熟程度，可以設想他同時也默記于胸，事後勾勒于元書紙稿本上。這些臨古稿應該是他一九三七年前後至一九四八年十數年間的面壁功課，它們雖大都是幾根綫條的簡括輪廓，但此中每一筆都應是他融會古今的思緒記録。這種反復的、頑强不倦的勾勒，正是他從摹古到變法之路上一種特殊的跋涉方式。這其中，除摹習古人各種路徑的筆、墨、章法之外，也許我們還應該從中窺見『勾古畫法』之所以成爲『法』的原因所在。

首先是『金石用筆』的嘗試和錘煉。我們知道，黄賓虹雖將『兼工籀篆、通書法于畫法的金石家』歸于『文人畫者』，但也指出其往往『知筆意而法不備』的缺憾。黄賓虹本身金石學造詣頗深，但他的取向是在『兼文人、名家而有之』的『大家畫者』，故不會惟求『金石用筆』，也不急于把金石用筆簡單直接地挪用于繪畫，因爲這裏離不開把握理法淵源及繪畫本體的前提。所以，在他早期甚至七十歲前，仍把研究金石學與研習繪畫分得很清楚，力求把兩種學問都做深。金石學主要用功在『識字』，識文明源頭『内美』之所在。畫學功夫做在遍臨宋元明諸家法，熟諳筆、墨、章法諸程式規範，方不致落入如『金石家』常見的手法單一或寫景不能深遠的缺憾。早期不論臨習何家，筆性多以鬆秀冲和爲基調，甚至不惜略顯稚弱。中期以後，欲表達『真山水』的生命感受，于筆綫質量特别的强調和追求，『金石用筆』研習成了他主要的案頭功課。一九三七年以後北平十年的特殊環境，倒使他獲得一個静心屏息、細細研究的時機，能將『金石用筆通之于畫理』作長久思考，付之于具體入微的實踐。針對董其昌『兼皴帶染』法所致的『骨格筆法失墜』，黄賓虹在熟諳畫法、書法以及『金石學』等多種資源之後，才有意識探究那些如『釵股、漏痕、金錯刀』的金石用筆，其意在重建『骨格筆法』，重構綫條的精神氣質。需注意的是，不同于一般追求『金石味』的畫家，黄賓虹規避霸蠻和荒率，仍堅持他早年開始追求的鬆静冲和。縱然取資金石學，也不失蒼辣與柔韌之間那個平衡點——冲和，不放弃中國哲學傳統有關美的這一最高原則。所謂『内美』，離不開筆墨點綫質量，離不開其内藴的張力，也即黄賓虹所謂之『剛勁中含婀娜』。

『金石味』的書法用筆，如何促使繪畫筆墨語言變得豐富精彩而不是損害繪畫的特性，是這一時期黄賓虹的孜孜所求。北平十年的後期，黄賓虹告知朋友自己正做『臨古與寫生融合一片』的實驗。而這時的臨古與寫生已達一新高度，黄賓虹期望『融合』所得的，當然亦非以往可比。在這批臨古畫稿中，我們發現臨寫黄公望的畫稿爲數最多。這或許出于這樣的可能：在蘇、米倡導『書法入畫』之後，至黄公望方解决了兩大難題。一是書法意味的綫條這時真正成爲構築物象的主角；二是宋以前較概念的山水已被鋪陳爲具體而有豐富細節的山水。黄賓虹在畫稿中時時揣摩探究的，便是如何將黄公望以來的書法用筆再融入金石意味，進而加强或謂拓展其中的繪畫性。

第三，有關『入繁出簡』的思考。此『簡』雖非上文所述『簡括輪廓』之『簡』，但也就是在這『簡括輪廓』裏，包含着黄賓虹另一種『尚簡』的努力。這種『尚簡』是對中國筆墨語言形式的再一次抽象，即打破已有的形、意平衡，在精練的筆綫之上再造一種新的平衡。所謂『變法』，必須有一種創造性的、融通古今的新形式語言。當時在與傅雷的通信中，黄賓虹曾頗自得地談起自己『純用綫條的簡筆畫』，能爲歐美畫人理解。

臨古畫稿中的『金石用筆』，『金石用筆』繪畫性的强化與拓展，『出繁入簡』的抽象性，此三者是否已是黄賓虹『勾古畫法』之所以爲『法』的全部内涵呢？這還需要繼續探討。不管怎麽説，黄賓虹的『勾古畫法』在他的畫學進程中是舉足輕重的。一九四七年，他在給弟子的信中寫道：『近悟于古迹與游山寫稿融會一片，自立面目，漸覺成就可期。』在此後的作品中，也在他此後的寫生畫稿中，都有『勾古畫法』的踪影。居杭州栖霞嶺時，縱然九十歲高齡也常拄杖出游西溪、古蕩、松木場，也同樣用鉛筆，同樣寥寥幾筆勾畫我們最熟悉的風物景致。但與當年在四川的寫生稿相比，這時的一勾一勒，大都爲逆筆，即每筆皆從中心向外逆筆勾畫，筆筆暗合着相互的關係。黄賓虹晚年强調，中國畫筆墨之法終不外是一個『太極圖』，即陰陽兩極的互動關係。那麽，這種逆筆從中心發散回旋的筆綫，正是體現這一關係的圖譜。由此，我們已能揣測黄賓虹『勾古畫法』的最終指向。

山水仿古畫稿圖版

仿古山水 十五幅 紙本 縱三二·五厘米 橫一五·五厘米 安徽省博物館藏

之一 題識：王詵 洞壑流泉

之二

之三　題識：仙岩飛瀑　范中立

之四　題識：萬木奇峰　董元

之五　題識：趙伯驌

之六　題識：松雪

之七　題識：雲西老人曹知白

之八　之九

題識：黃子久夏山欲雨　純從董北苑脱胎

獨以厚重之氣闢一法門　而又恬澹多

之十　題識：思翁仿北苑

之十一　題識：林泉清波　叔明

之十二　題識：文伯仁

之十三　題識：孟陽

之十四　題識：

橋過澗道帶流沙　路入松林石徑斜

寂寂前山深樹裏　不知猶有幾人家　周

松巷深深地　亭惟水木陰

泉聲與風響　不動老禪心　石田

鈐印：璞如

之十五

臨王維輞川山莊　六幅

紙本　縱三〇厘米　橫四五厘米　浙江省博物館藏

之一　題識：辛夷塢　漆園　椒園

之二　題識：輞口莊

之三

題識：鹿砦　北垞

之四

題識：臨湖亭

之五
題識：白石灘
竹里館　款湖
之六
題識：南垞

臨王維山水 紙本 縱二六·七厘米 橫四〇厘米 浙江省博物館藏

題識：王摩詰

臨荆浩山水 兩幅

紙本

縱三〇厘米

横四五厘米

浙江省博物館藏

之一　之二

臨荊浩山水 兩幅

紙本

縱三〇厘米

橫四五厘米

浙江省博物館藏

之一

題識：荊浩壹之五

之二

題識：荊浩五

臨荊浩山水 六幅

紙本

縱一九厘米 橫五二厘米

浙江省博物館藏

之一 之二 之三

之四　之五　之六

題識：洪谷子秋山行旅圖

仿古山水 三幅

紙本 縱三〇厘米 橫四五厘米 浙江省博物館藏

之一 題識：名家一之三 李成 董元

之二 題識：許道寧 巨然

之三 題識：鄭虔 江貫道

巨然
许道宁

江贯道
郑虔

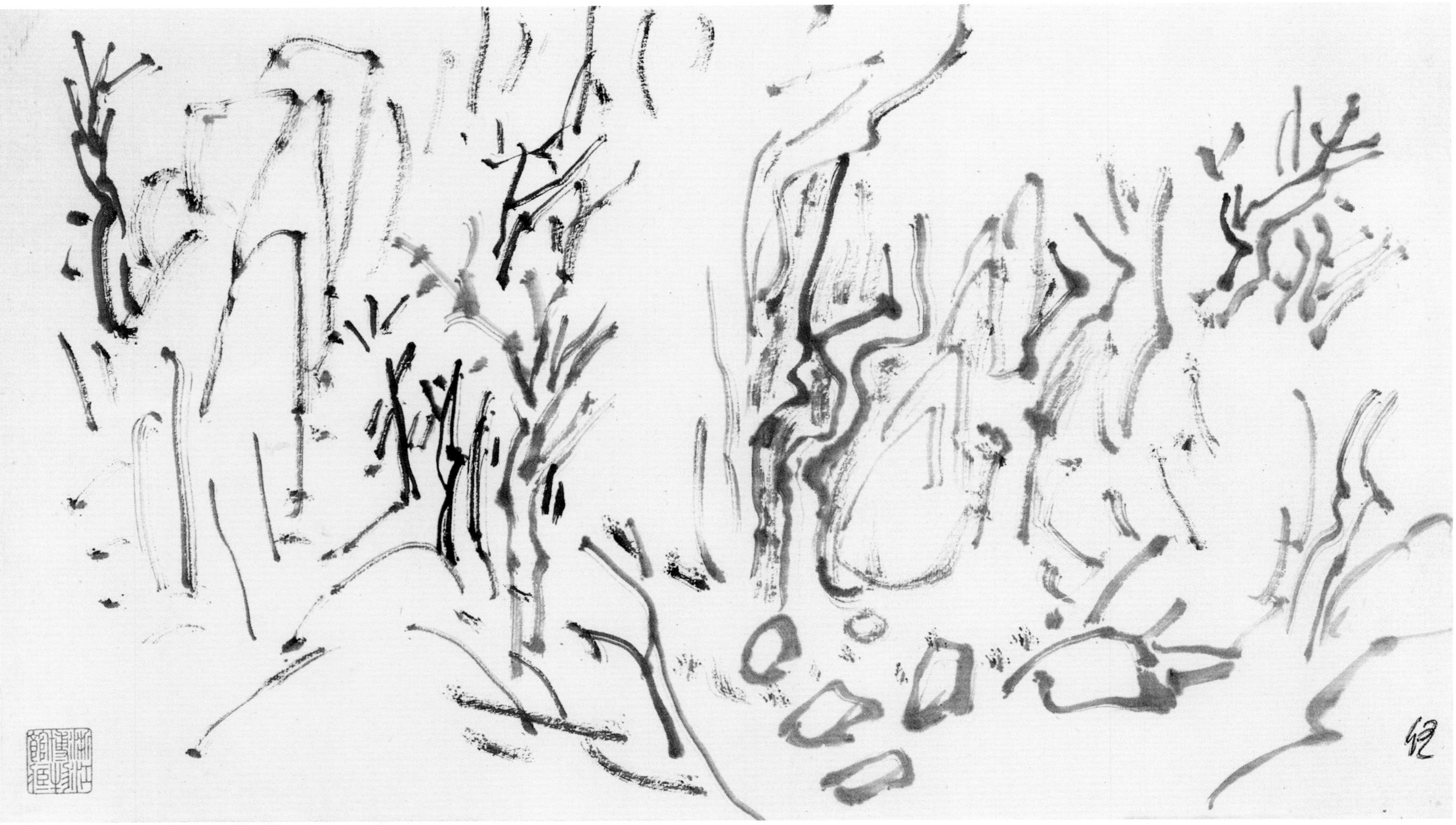

臨李公麟龍眠山莊 四幅
紙本
縱二三・五厘米 橫四一厘米
浙江省博物館藏
之一 之二

之三　之四

臨李成山水 紙本 縱三六厘米 橫二七・三厘米 浙江省博物館藏 題識：李成

臨范寬山水 紙本 縱二六・九厘米 橫二〇・七厘米 浙江省博物館藏 題識：范寬

仿古山水　三幅　紙本　縱二六·七厘米　橫四一·七厘米　浙江省博物館藏

之一　題識：宋元一之三　趙令穰畫江南風景　清逸可愛　關仝有擦無皴　有染無點　其法大梁燕晋多傳之

之二　題識：摩詰輞川文杏館一段　荊浩爲得其奥　荊浩括鐵皴　神而兼逸

之三　題識：巨然　高彦敬

臨范寛山水　四幅

紙本　縱二七厘米　橫七二厘米　浙江省博物館藏

之一　題識：范寛一之四

之二　題識：范寛二

之三　題識：范寬三
之四　題識：范寬四

臨范寬山水　四幅

紙本　縱一九厘米　橫五〇厘米　浙江省博物館藏

之一　之二

之三　之四　題識：范寬溪山行旅

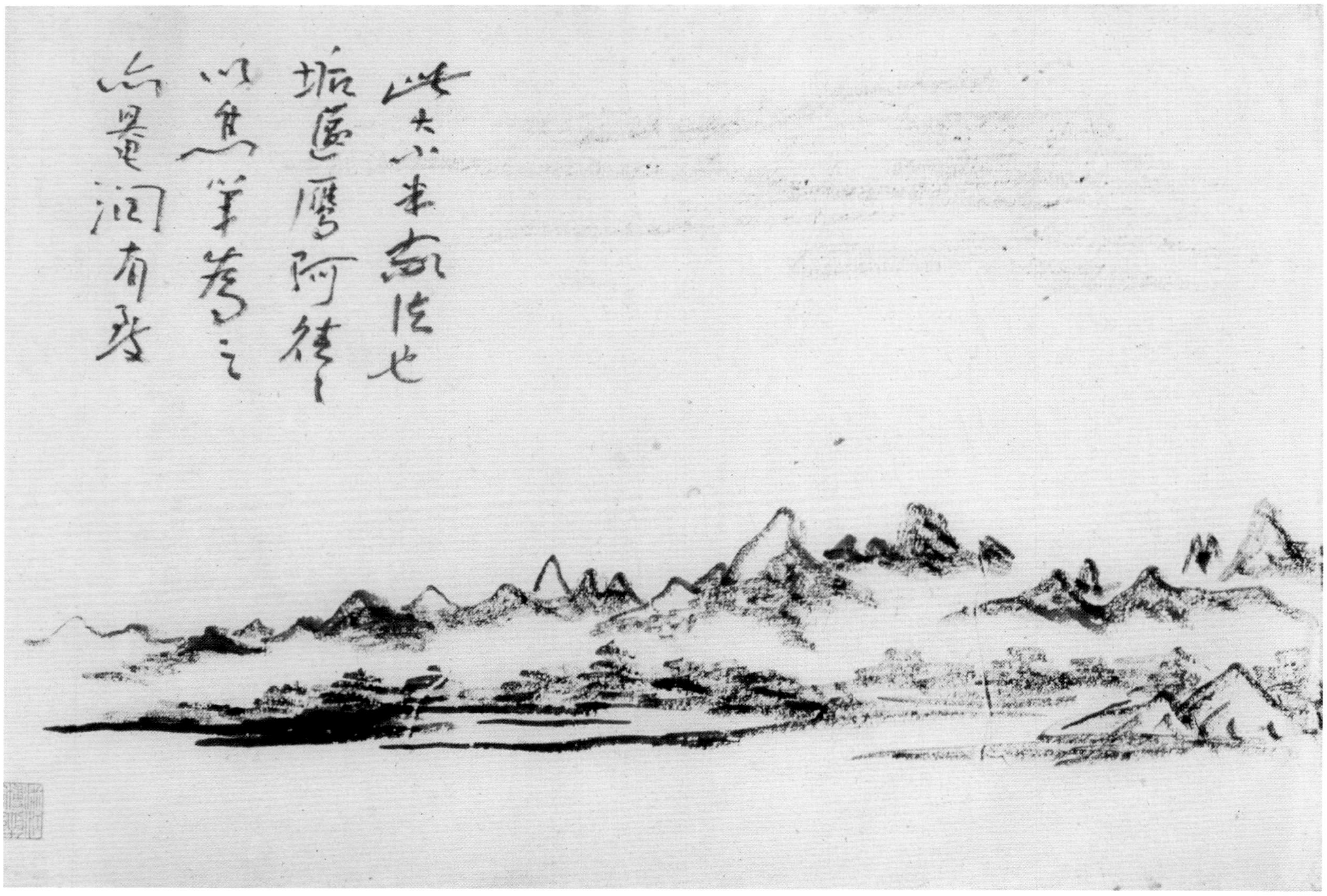

臨大小米 兩幅

紙本

縱三〇厘米

横四五厘米

浙江省博物館藏

之一 之二 題識：

此大小米家法也

垢區鷹阿往往以焦筆

爲之 亦淹潤有致

臨米芾山水 十四幅

紙本

縱三〇厘米

橫四五厘米

浙江省博物館藏

之一

題識：米元章一之九

之二

之三　之四

之五

題識：米元章三

之六

之七　之八　之九　題識：米元章四

之十　題識：米元章五　之十一　之十二　題識：米元章八

之十三

之十四　題識：米元章九

臨江參山水 八幅

紙本 縱三〇厘米 橫六四厘米 浙江省博物館藏

之一 題識：江參壹之八

之二

之三　之四

之五　之六

之七　之八

仿古山水 四幅 紙本 縱三四厘米 横四五厘米 浙江省博物館藏

之一 之二

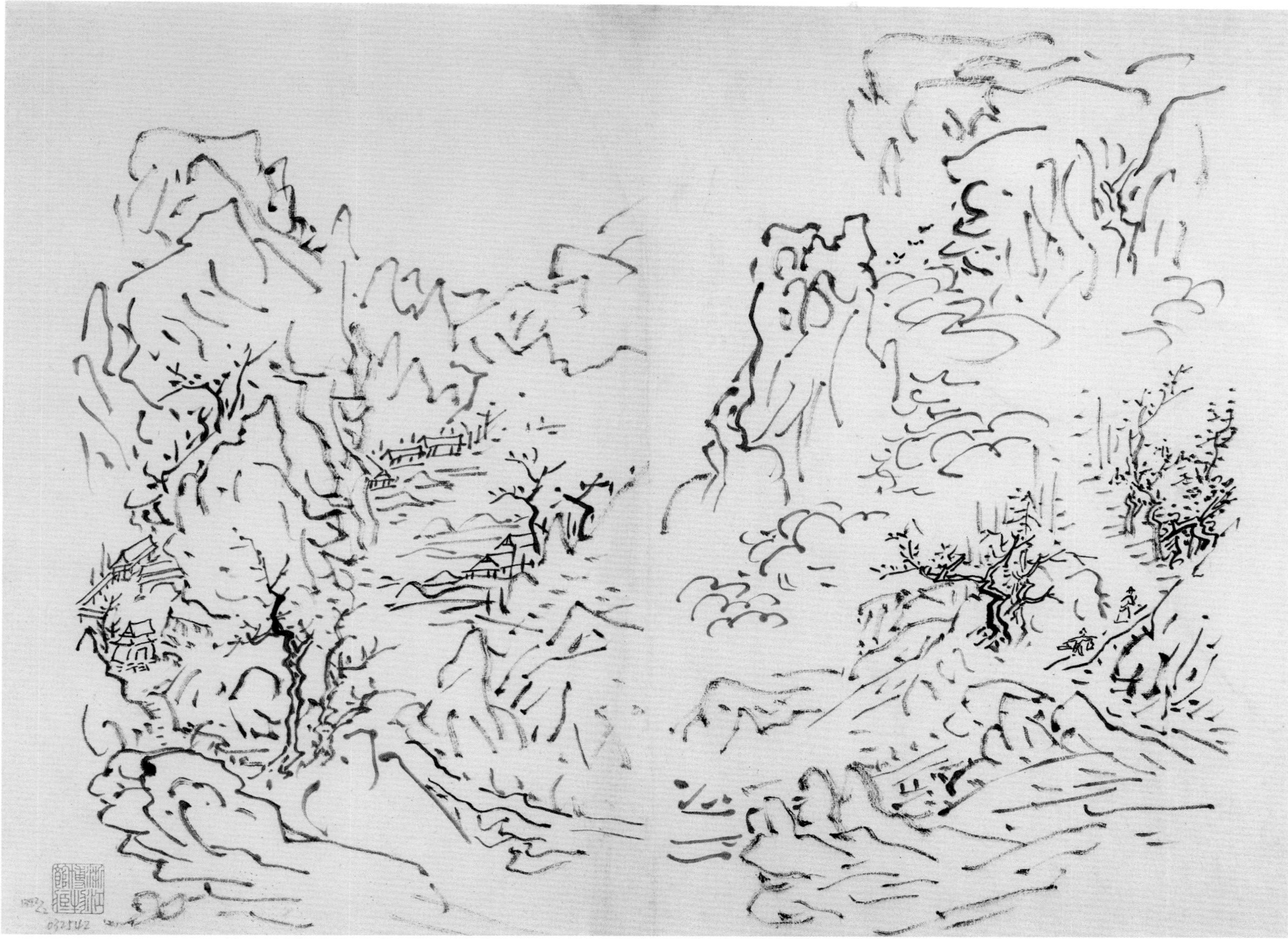

之三　之四

仿南宋山水 三幅

紙本 縱二九·三厘米 橫四二厘米 浙江省博物館藏

之一

之二

之三

臨李唐山水 紙本 縱二九·五厘米 橫四五厘米 浙江省博物館藏

題識：李唐九

臨劉松年山水 紙本 縱二九·五厘米 橫四五厘米 浙江省博物館藏

題識：劉松年二之三

臨劉松年山水

四幅　紙本

縱三〇厘米

橫四五厘米

浙江省博物館藏

之一

題識：

劉松年一之五

之二

題識：

劉松年貳

之三

題識：劉松年三

之四

臨馬遠山水　八幅　紙本　縱二九·五厘米　橫四五厘米　浙江省博物館藏

之一　之二　題識：馬遠一之四　之三

之四　題識：馬遠二　之五　之六　題識：馬遠三

之七　之八
題識：馬遠四

臨馬遠溪山漁父 兩幅

紙本

縱二九·五厘米

橫四五厘米

浙江省博物館藏

之一 之二

題識：馬遠溪山漁父

仿古山水　四幅

紙本

縱二九·五厘米

橫四五厘米

浙江省博物館藏

之一

題識：關仝

之二

題識：李唐秋山蕭寺

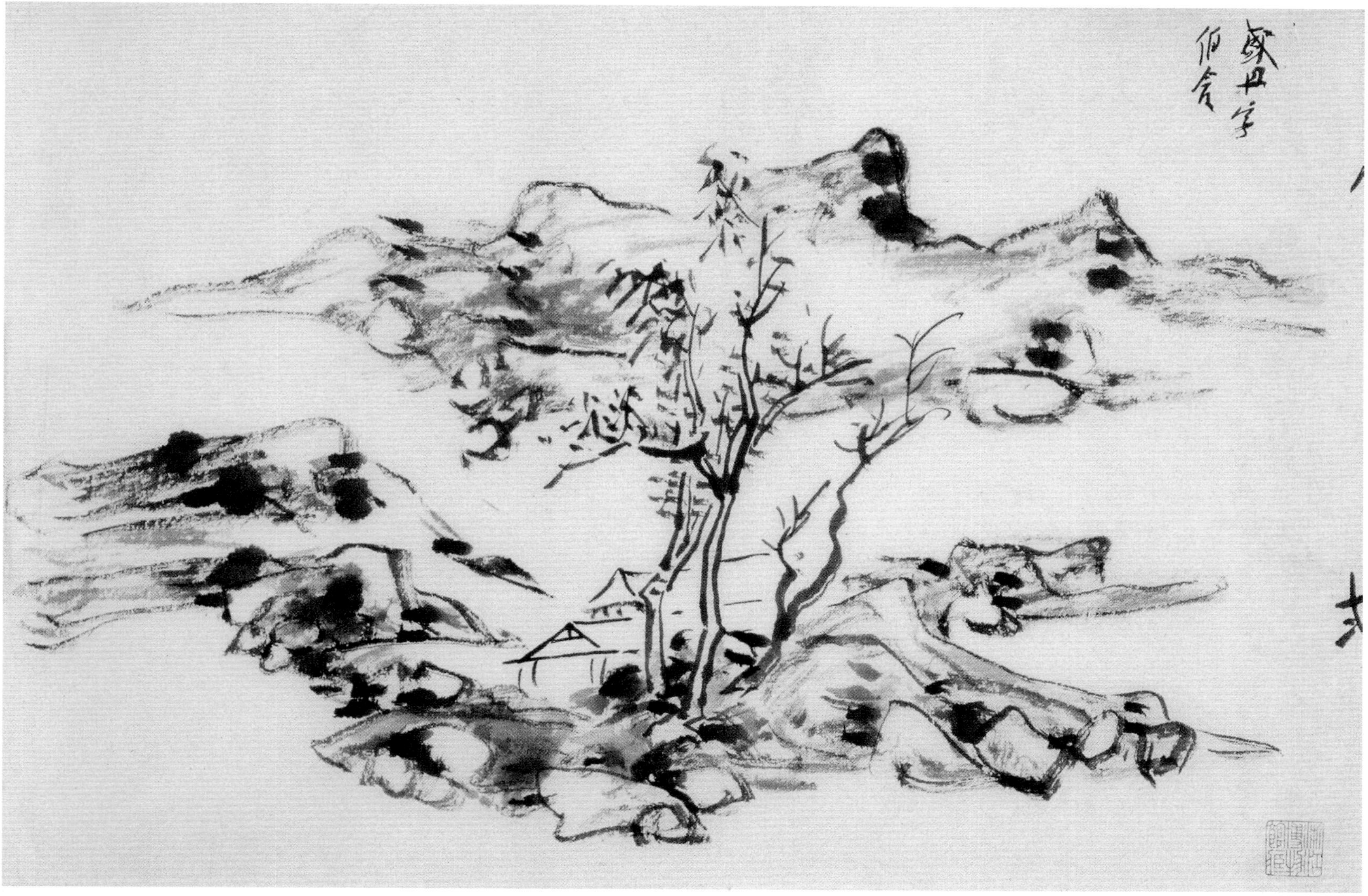

之三
題識：盛丹字伯含
之四
題識：程正揆　青溪

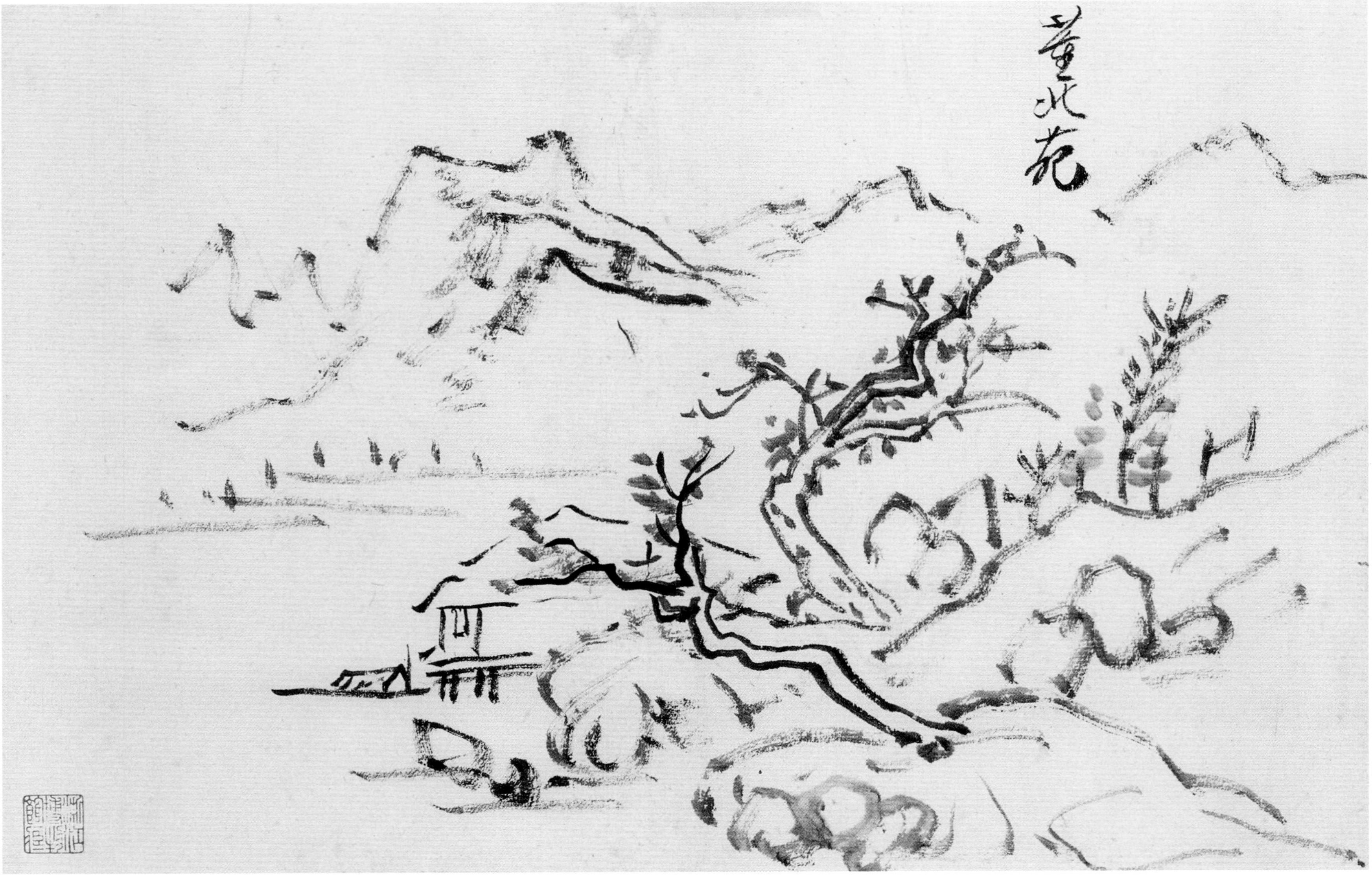

仿古山水 四幅

紙本

縱二六·七厘米

橫四一·七厘米

浙江省博物館藏

之一

題識：董北苑

之二

之三　題識：松雪
之四　題識：令穰
仲圭

臨趙孟頫山水 八幅

紙本

縱二二・五厘米

横三四厘米

浙江省博物館藏

之一 之二

之三　之四

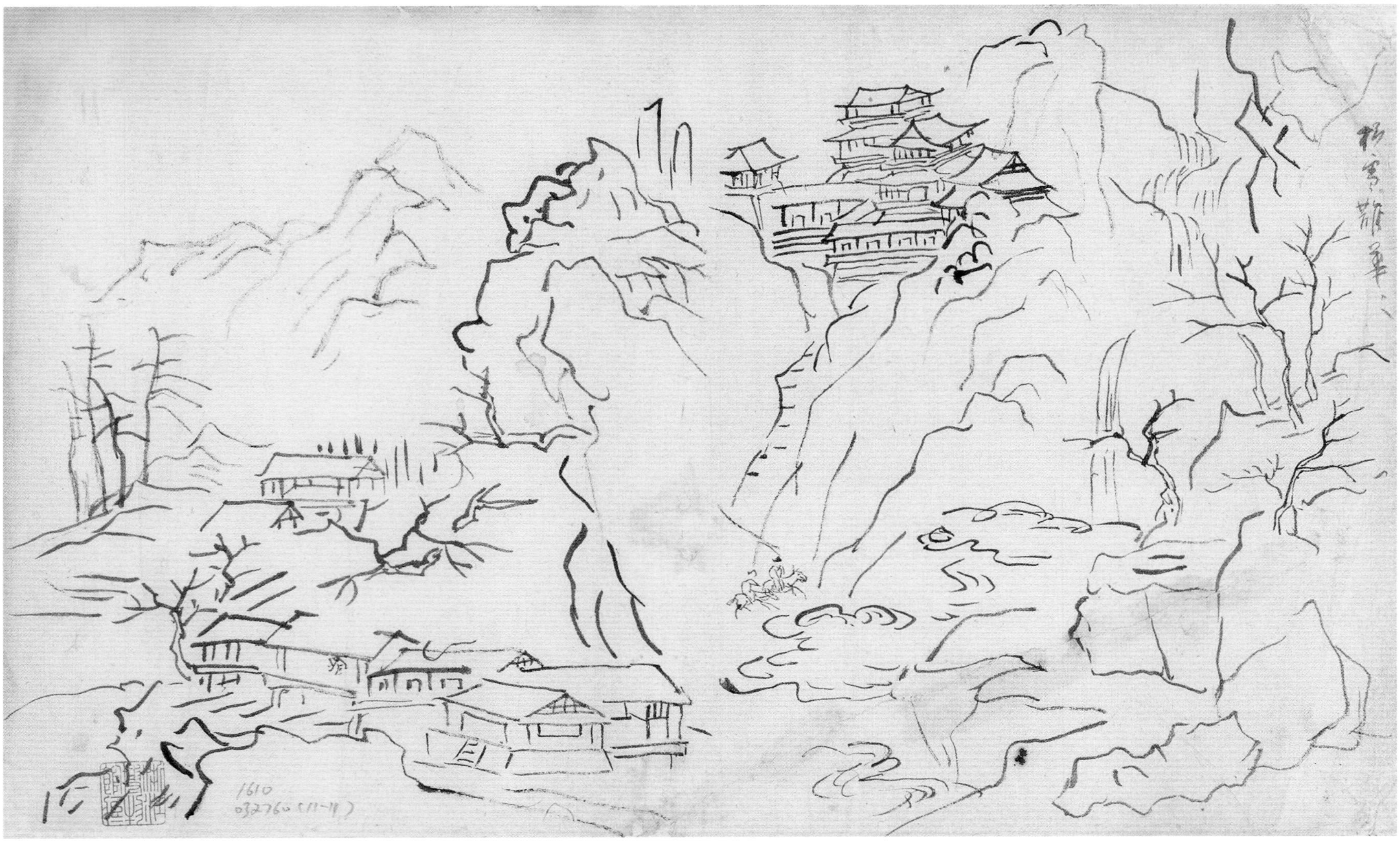

之五　之六

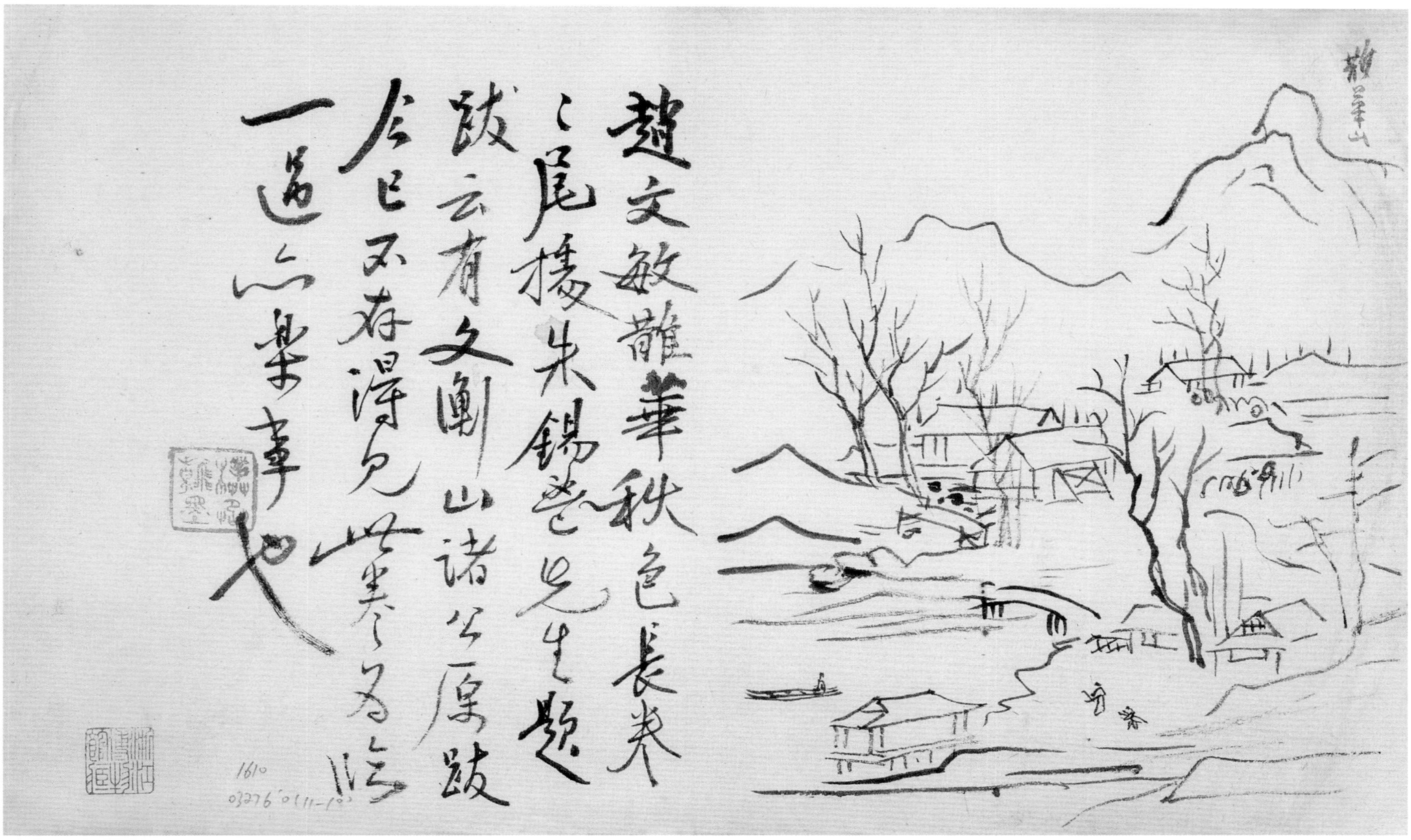

之七　之八

題識：鵲華山

趙文敏鵲華秋色長卷

卷尾據朱錫鬯先生題

跋云　有文衡山諸公原

跋　今已不存　得見

此卷　爲臨一過　亦

樂事也

鈐印：樸丞翰墨

仿古山水 三幅

紙本 縱三〇厘米 橫四五厘米 浙江省博物館藏

之一 題識：管仲姬

之二　題識：趙雍　陳秋水

之三　題識：

古樹迸石出　脱葉如無生　群枝自幽獨　何以答秋聲

蒼藤載束縛　恐因雷雨行　我句偶爾書　誓與同老成

懸想十洲外　遥誇五岳中　何如來此地　掣斷幔亭虹

臨吳鎮山水 紙本 縱二九·五厘米 橫四五厘米 浙江省博物館藏

題識：吳仲圭二

臨吴鎮山水　兩幅

紙本

縱二九·五厘米

橫四五厘米

浙江省博物館藏

之一　題識：吴一

之二

臨吴鎮山水　兩幅
紙本
縱二九·五厘米
横四五厘米
浙江省博物館藏
之一　題識：吴沙彌一
之二

臨高房山山水　紙本　縱三〇厘米　橫四五厘米　浙江省博物館藏

題識：高房山一之四

仿古山水　紙本　縱二九·五厘米　橫四五厘米　浙江省博物館藏

臨黃公望山水 四幅 紙本 縱二七·五厘米 橫三八厘米 浙江省博物館藏 之一 題識：大痴 之二

之三 之四

臨黃公望山水　十三幅

紙本

縱三〇厘米　橫六五厘米

安徽省博物館藏

之一　題識：黃大痴壹

之二

之三　之四

之五　之六

之七　之八

之九

之十 之十一

之十二　之十三

臨倪雲林山水 紙本

縱三〇厘米 橫六五厘米

浙江省博物館藏

題識：雲林一 平岡遠岫 雲林

1608
032758(3-3)

臨倪雲林山水 兩幅

紙本

縱三〇厘米 橫三二·五厘米

浙江省博物館藏

之一

之二 題識：雲二

臨曹知白山水 四幅 紙本 縱二〇厘米 橫三七厘米 浙江省博物館藏

之一 之二

之三　題識：曹雲西一

之四　題識：曹雲西二

仿古山水　兩幅

紙本

縱二七厘米　橫二四厘米

浙江省博物館藏

之一　題識：錢選

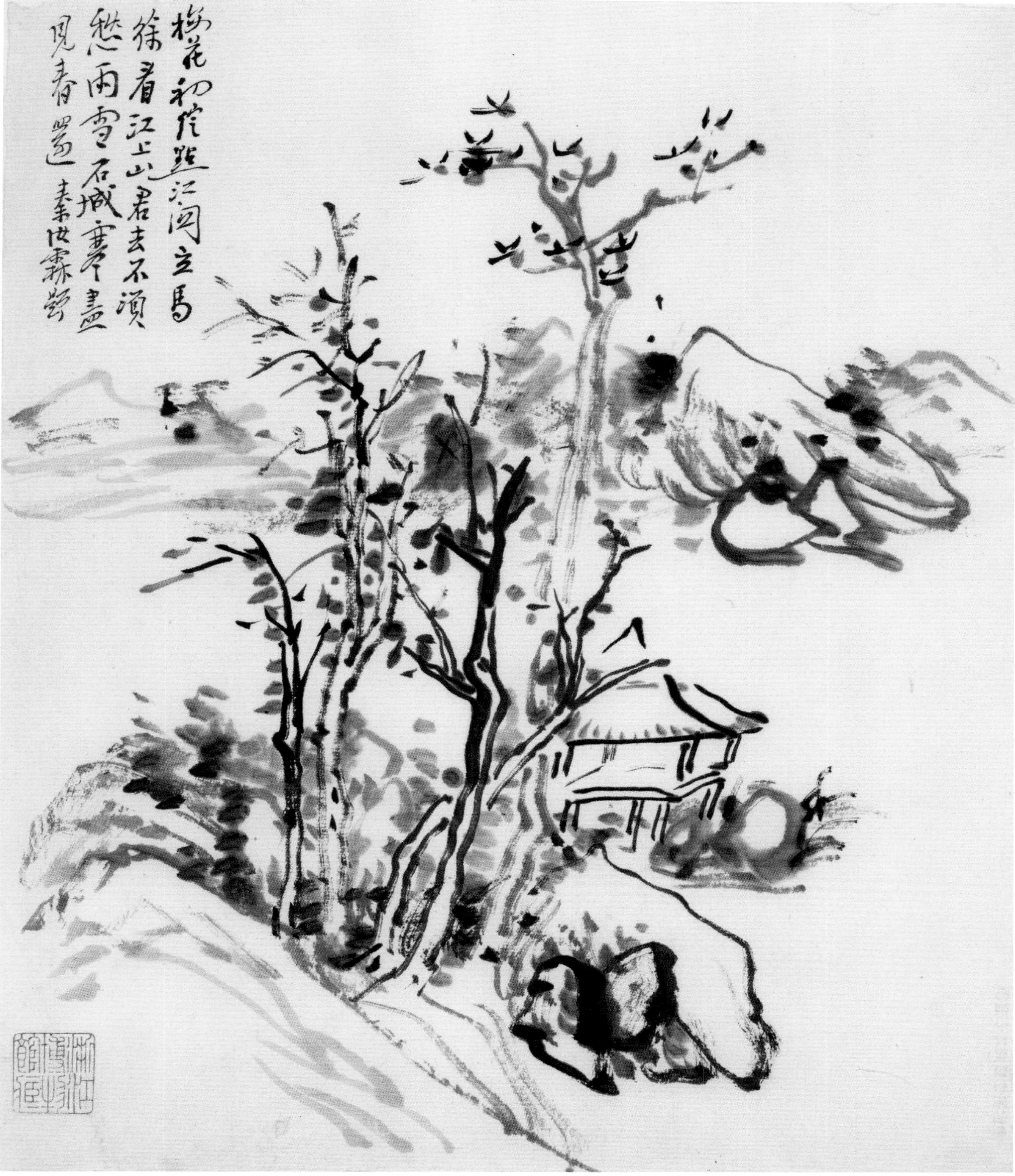

之二　題識：

梅花初綻點江關　立馬徐看江上山

君去不須愁雨雪　石城寒盡見春還

秦汝霖題

臨董其昌山水　十幅

紙本

縱二八厘米　橫二四·五厘米

浙江省博物館藏

之一　題識：宰一

之二一　題識：宰一

之三　題識：宰三

之四　題識：宰四

之五　題識：宰五

之六　題識：宰六

之七　題識：宰七
之八　題識：宰八
之九　題識：宰九
之十　題識：宰十

臨沈周山水 兩幅 紙本 縱三〇厘米 橫四五厘米 浙江省博物館藏
之一

之二　題識：沈一之三

仿古山水 十四幅 紙本 縱三〇厘米 橫一五·五厘米 安徽省博物館藏

之一 題識：叔明仿巨然

之二一 題識：米芾雲山圖

之三　題識：六如

之四　題識：藍瑛

之五　題識：

撐空雲樾疏林曉　宿雨烟沙野水明

詩艇未來漁子去　繞枝乾鵲送春聲

李肇亨

之六　題識：玄宰學子久

之七　題識：方壺

之八　題識：黄遵古

鈐印：卧雲居士

之九　題識：商岩熙樂

之十　題識：鷹阿山房　墨井

之十一　題識：卞花龕

之十二　題識：林泉高蹈　王鐸

之十三

之十四

題識：

蕭瑟秋林起薄寒　倚笻孤立暮雲殘

青山今古無差別　只是忙人不肯看

金俊明題

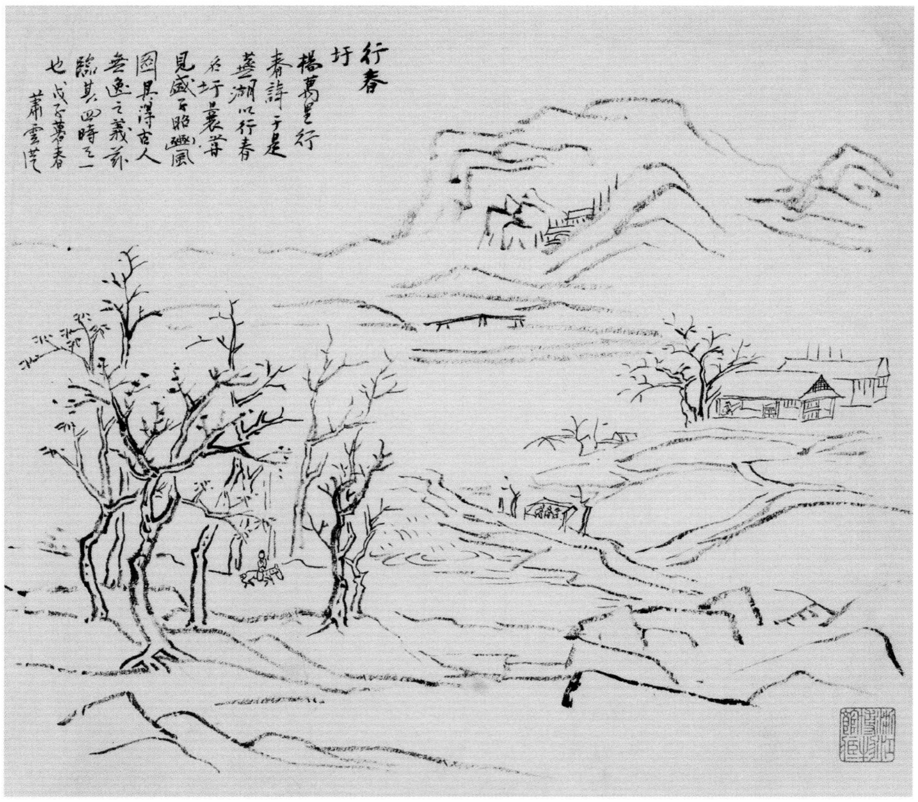

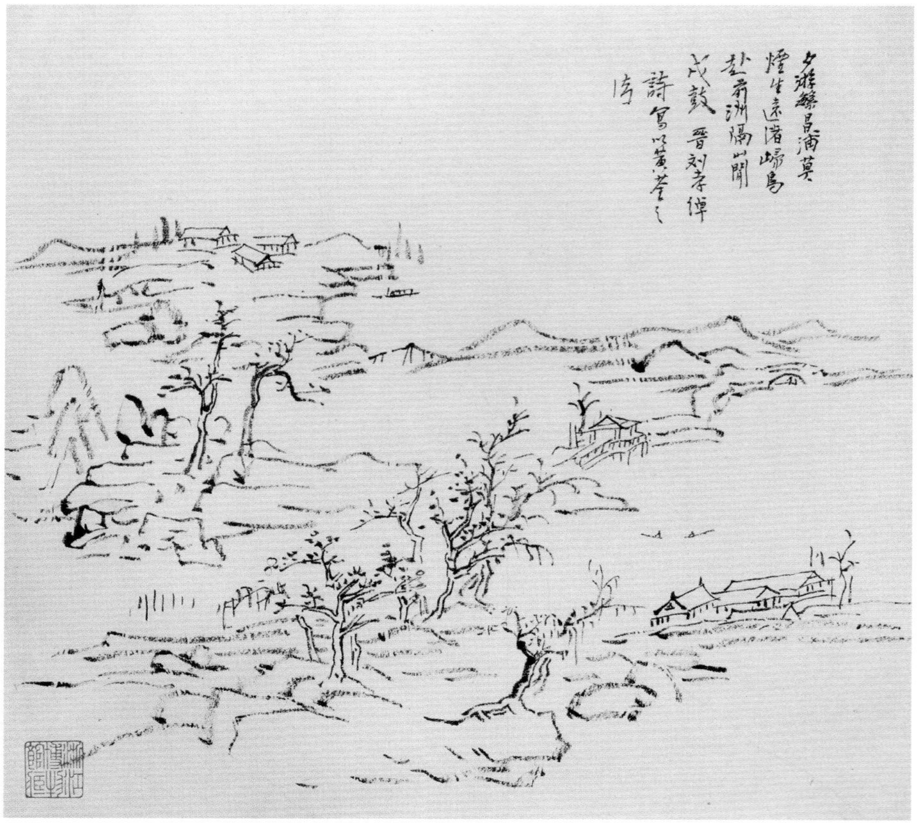

臨蕭雲從山水　三幅　紙本　縱二七厘米 橫二九厘米　浙江省博物館藏

之一　題識：行春圩　楊萬里行春詩　于是蕪湖以行春名圩　曩嘗見盛子昭豳風圖　其得古人無逸之義　茲臨其四時之一也　戊子暮春　蕭雲從

之二　題識：白紵　衆山江湖下　練帶浮雲捲　晴明可見九州外　登臨信地險　俯仰知天大　右王荆公詩　寫以右丞之法　惟取山氣深鬱　未暇外景矣

之三　題識：夕游繁昌浦　暮烟生遠渚　歸鳥赴前洲　隔山聞戍鼓　晋劉孝綽詩　寫以黄筌之法

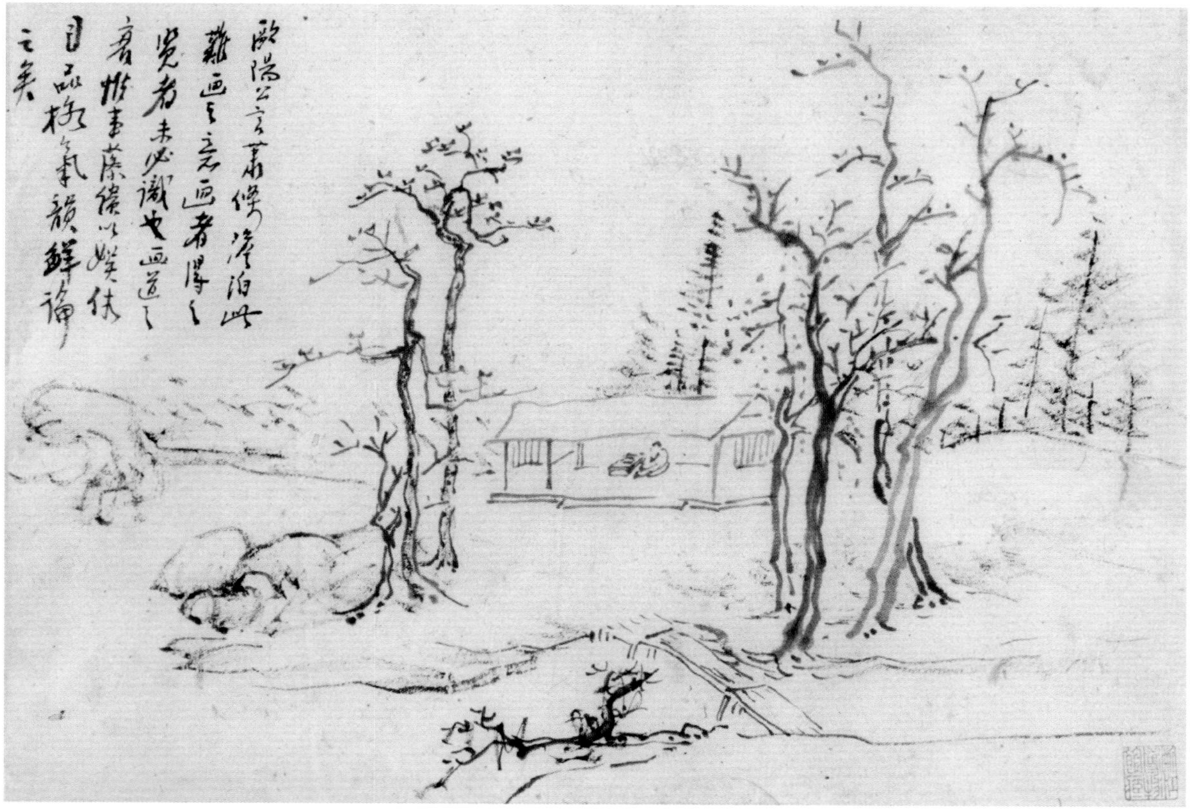

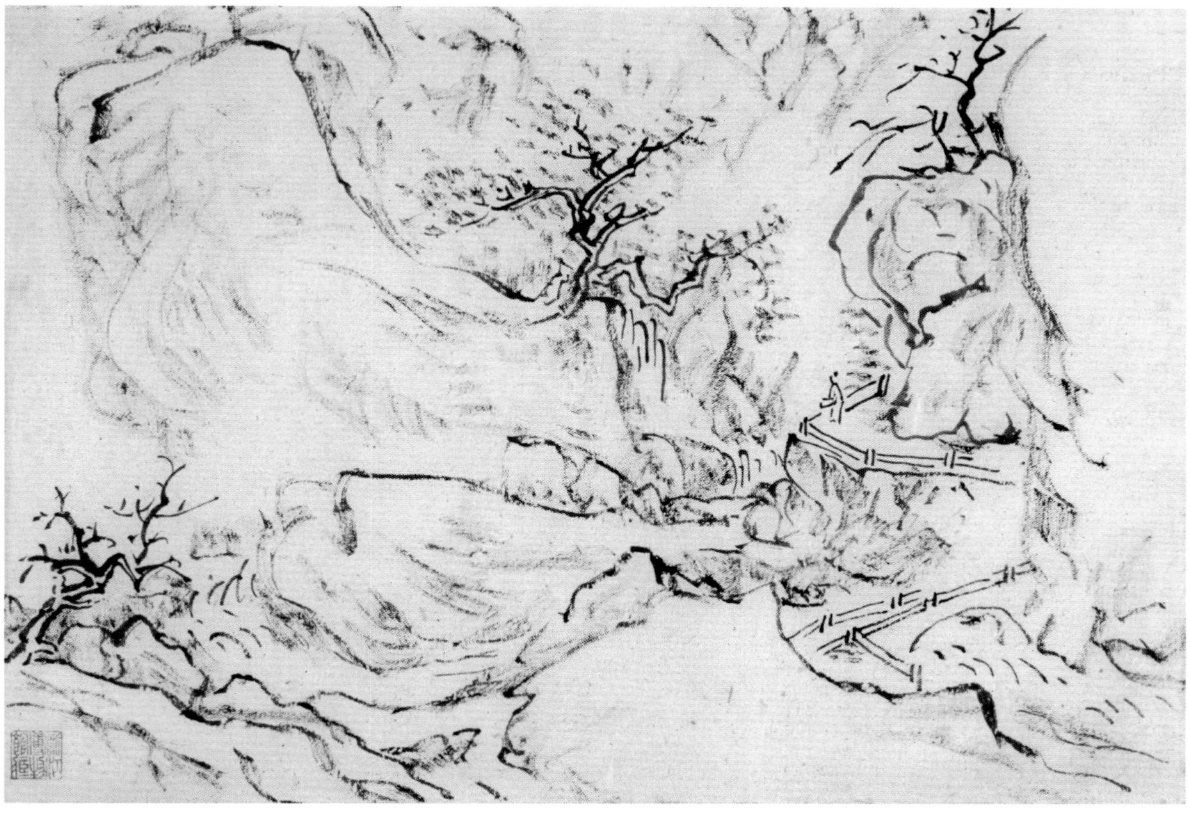

仿古山水　四幅　紙本　縱三〇厘米　横四五厘米　浙江省博物館藏

之一　題識：歐陽公言　蕭條澹泊　此難畫之意　畫者得之　覽者未必識也　畫道之衰　惟事藻繢以娱俗目　品格氣韵鮮論之矣

之二　題識：銘契潭石　李供奉語

之三

之四

臨蕭雲從山水　紙本　縱二九·五厘米　横四五厘米　浙江省博物館藏

題識：蕭壹

臨蕭雲從山水

兩幅　紙本

縱二一·五厘米

橫三二厘米

浙江省博物館藏

之一

題識：蕭尺木一

之二

題識：蕭三

臨鄒之麟山水

兩幅 紙本

縱三〇厘米

橫四五厘米

浙江省博物館藏

之一 之二

題識：鄒一之二

餘清齋主人章

倉祐珍藏

臨惲向山水

兩幅 紙本

縱三〇厘米

橫四五厘米

浙江省博物館藏

之一 題識：

惲向臨北苑

之二 題識：

古人氣韵所宗

筆內筆外

兼藏露俱有之

太藏則顓頂

太露則縱橫

俱不入道

偶見有學董北苑

者 反類時氣

作此以招其魂

香山向

臨惲向山水

兩幅　紙本

縱二一厘米

橫二七厘米

浙江省博物館藏

之一　之二

臨戴本孝山水

四幅

紙本

縱三〇厘米

横四五厘米

浙江省博物館藏

之一　之二

題識：

何處無深山

但恐俗難免

更上數層峰

此興復不淺

丁未三月望

萑苻不靖

避居翠微深處

寫此自遣　鷹阿

之三

題識：鷹三

之四

題識：

玉立千峰六月寒

晴雷響雪下巉岏

嘗將天外芙蓉影

攝入岩扉獨坐看

甲子　鷹阿

臨張復陽山水 四幅 紙本 縱二八厘米 橫二〇·五厘米 浙江省博物館藏

之一 之二

之三　之四

題識：張復陽畫似梅道人　山水于荆關范郭馬夏倪黄無所不有　久而自運其生趣于蹊徑之外　王弇州謂　吴中丹青隆萬中斷　所見無逾張復元春者

臨李流芳山水 六幅

紙本

縱二九·五厘米

橫四五厘米

浙江省博物館藏

之一

題識：李檀園一之四

之二

題識：李二

之三 之四

題識：李三

之五

之六　題識：李四

仿古山水 六幅 紙本 縱二七厘米 橫二四厘米 浙江省博物館藏

之一 題識：戊寅菊月 陳元揆 之二 題識：沈龍

之三 題識：寒山獨過雁 春雨遠來舟 盛茂燁

之四 題識：戊寅重陽 周士

之五　題識：揚亭草玄

之六　題識：日午柴門尚未開　奚童報道故人來　小蔬秋圃猶堪摘　杯酒論文待月回　吴舫烟波畫　陳嘉泰題

臨王時敏山水 十二幅

紙本 縱二二·五厘米 橫二八厘米 浙江省博物館藏

之一

之二　題識：甲寅春仲　遜之

之三

之四 之五

之六

之七　之八　之九

之十　之十一　之十二

臨漸江山水　六幅

紙本

縱三〇厘米　橫二二・五厘米

浙江省博物館藏

之一　題識：

家國滄桑感寂寥　自磨殘墨寫金焦
松根磲砢多奇節　石骨嶙峋訂久要
大地林巒呈畫稿　諸天花雨洗詩瓢
閑披古衲歸何處　白岳黃山路未遥
此與姚墨山所作小册相仿佛
張鳴珂題

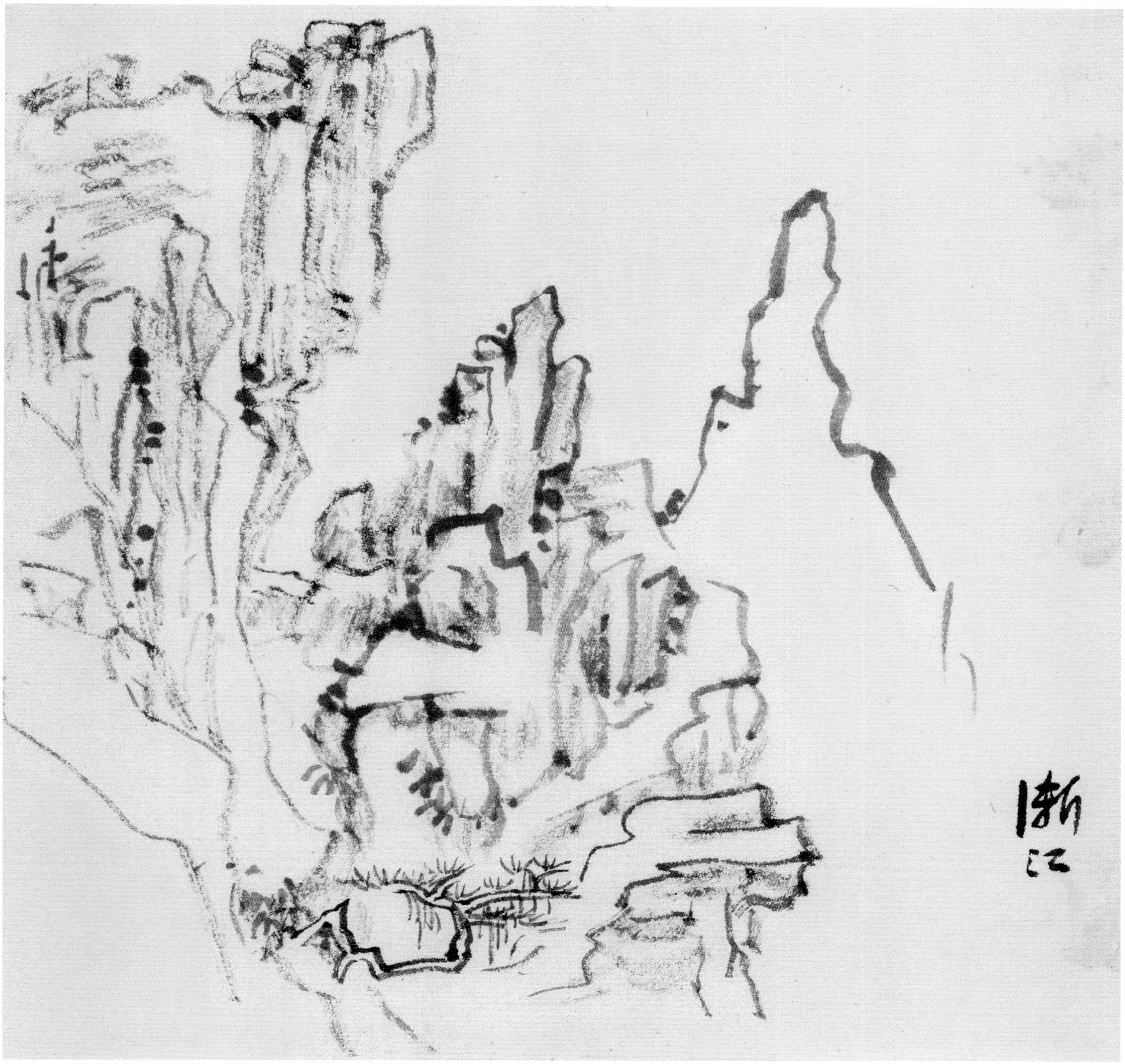

之二　題識：漸江

之三　題識：漸江　之四　題識：漸江

之五　之六　題識：癸卯嘉平八日　弘仁　爲中翁居士寫

仿古山水　十二幅　紙本　縱三三厘米　橫三一・五厘米　私人藏

之一　之二　題識：兩軸合一

之三　之四

之五　之六

題識：神外谷

之七　之八

之九　題識：姚宗

之十　題識：

雨散烟巒千万重　泉飛百轉下晴空

人家住近愚公谷　不種桑麻種竹松

之十一

之十二　題識：石户丹泉　漸江

臨項聖謨山水　八幅

紙本　縱二三厘米　橫二二・五厘米　浙江省博物館藏

之一　題識：項二　之二　題識：項五

之三　題識：項六　之四　題識：項八

之五　題識：項九

之六　題識：項十

之七　題識：項十一

之八　題識：項十二

仿古山水 紙本 縱二九·五厘米 橫四五厘米 浙江省博物館藏

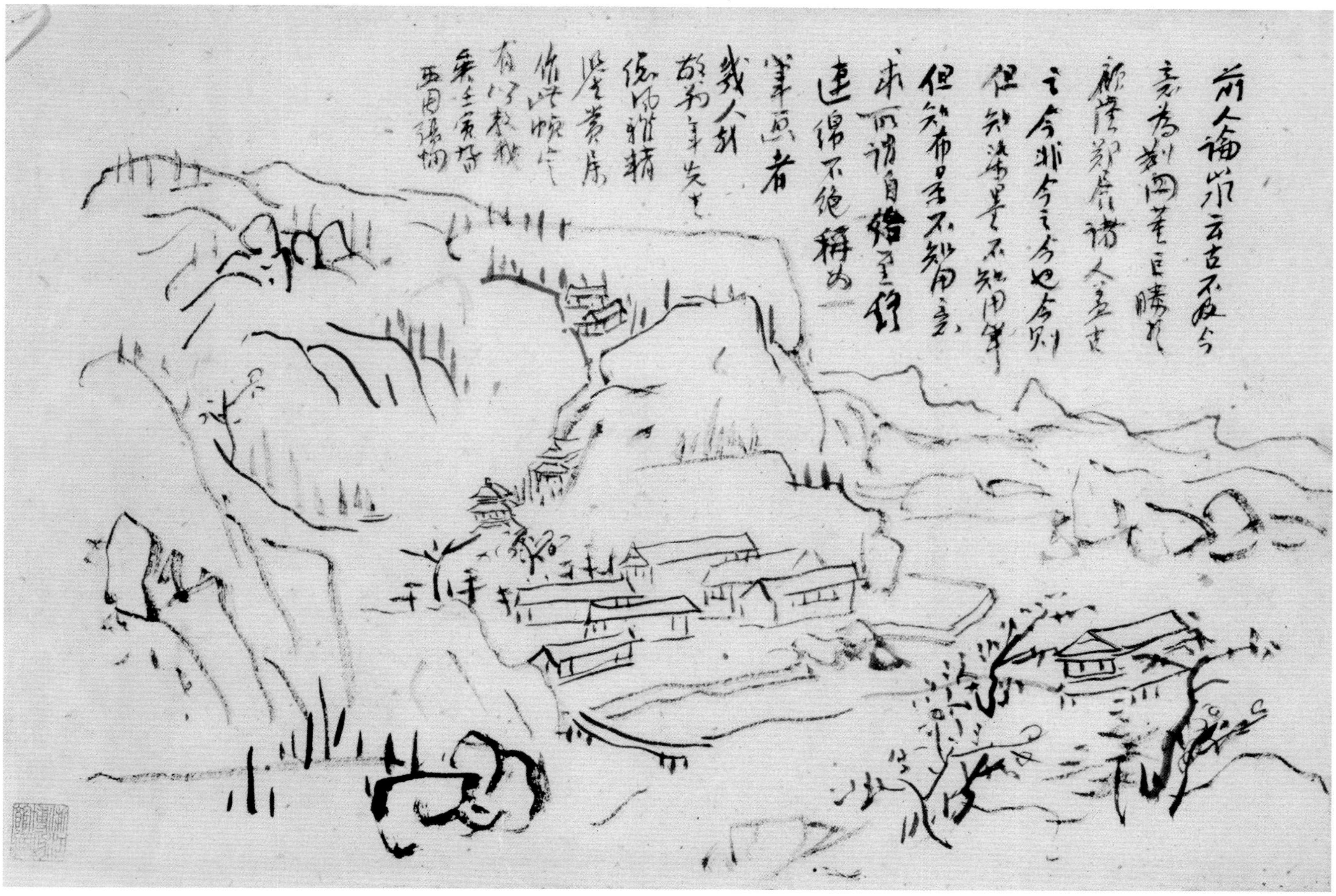

臨張恂山水　紙本　縱三〇厘米 横四五厘米　浙江省博物館藏

題識：前人論山水云古不及今　意爲荆關董巨　勝于顧陸鄭展諸人　蓋古之今非今之今也　今則但知染墨　不知用筆　但知布景　不知用意　求所謂自始至終　連綿不絶　稱爲一筆畫者幾人哉　敬翁年先生總風雅　精鑒賞　屬作此幀　定有以教我矣　壬寅九月　西周張恂

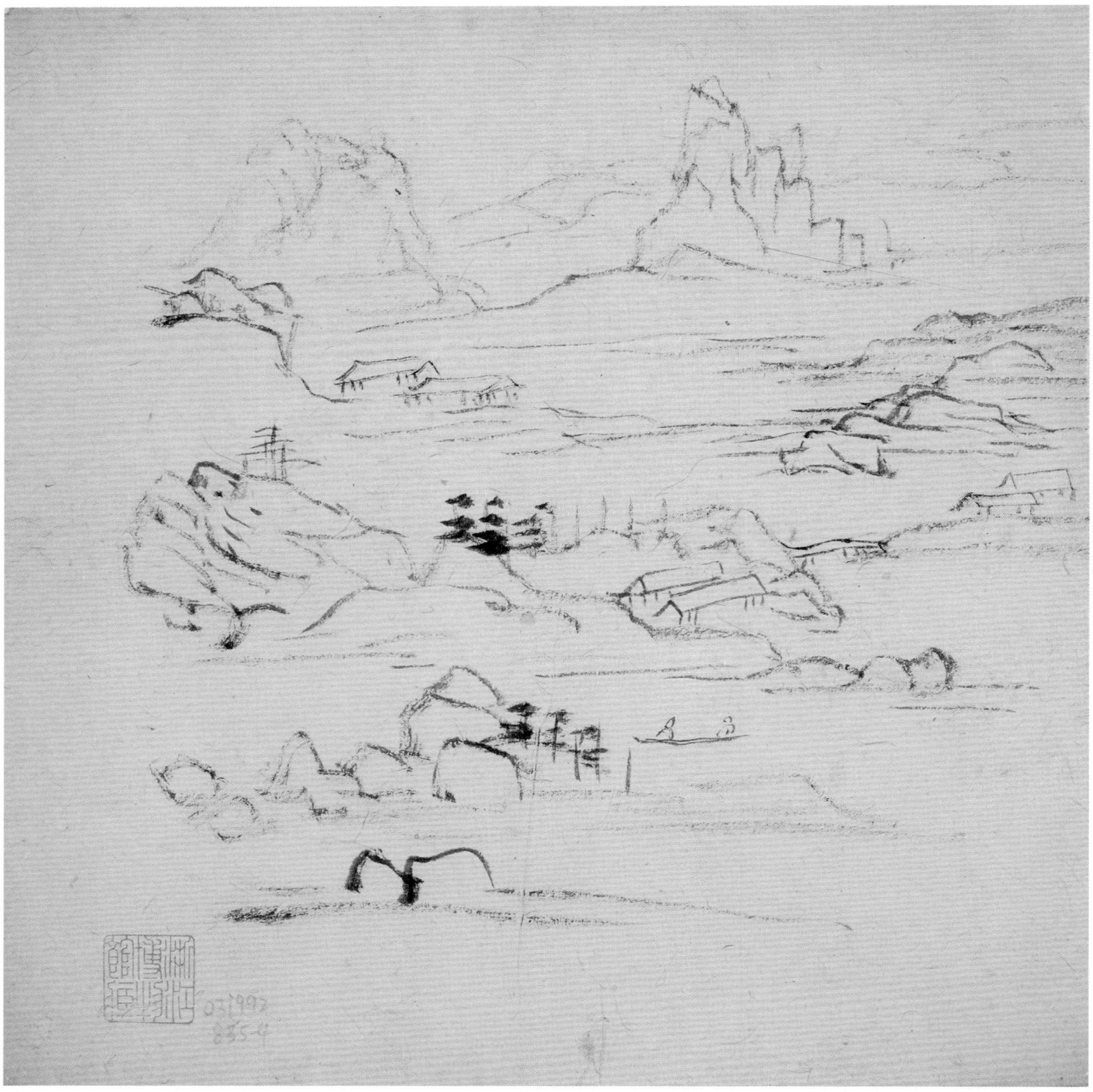

仿古山水 八幅 紙本 縱二三厘米 横二二厘米 浙江省博物館藏

之一 之二

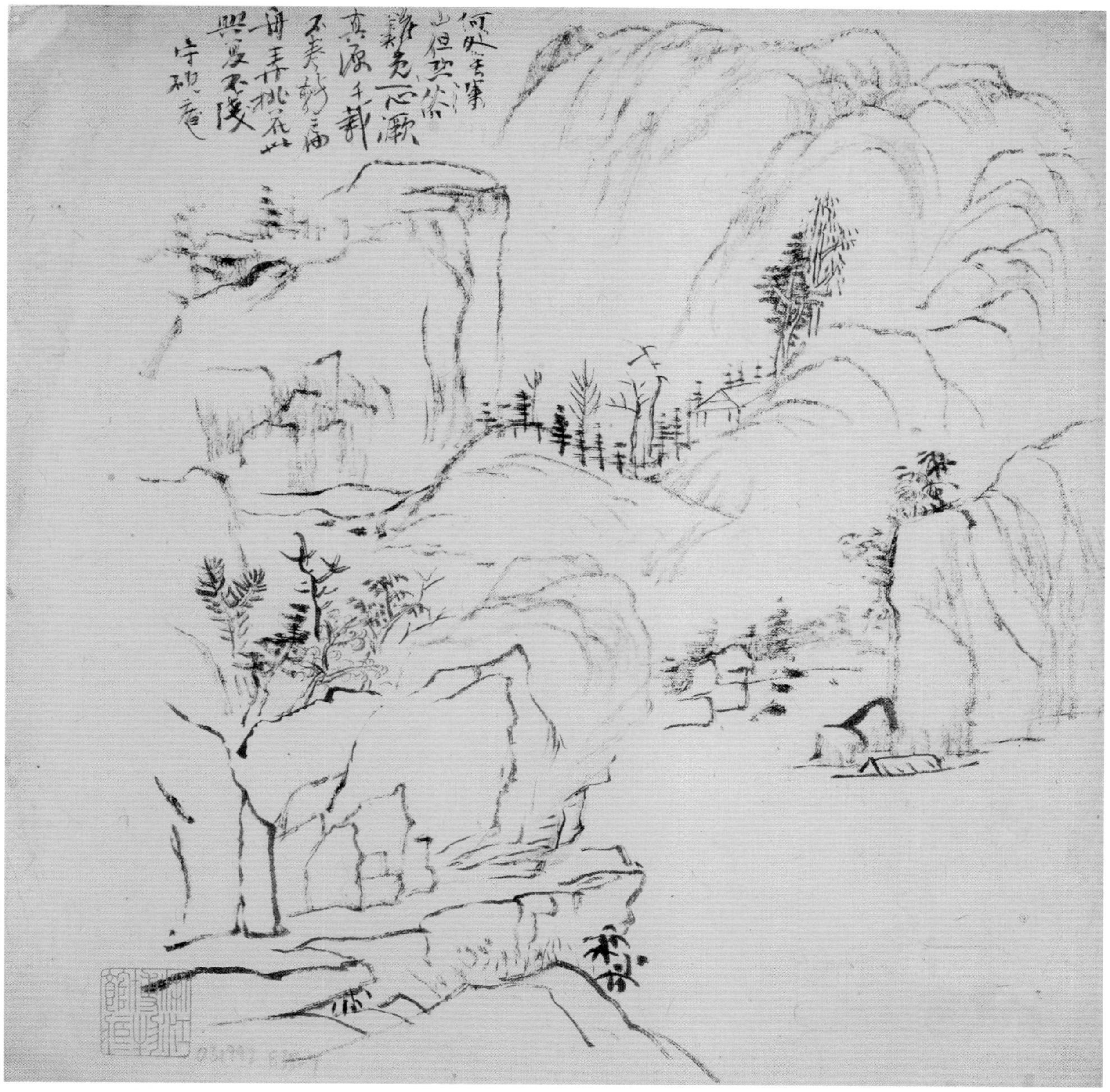

之三　題識：

何處無深山　但愁俗難免　一心溯真源　千載不捲轉　扁舟弄桃花　此興復不淺

守硯庵

之四　題識：

燔柴今已廢　岳靈杳何托　白雲來洗崖　有頌誰爲斫　濤聲聽松崩　響逐龍湫落

造化寵靈岳　衣被以青松　磊砢貞四時　遠近生山容　君子擇所依　凡草徒昌豐

劉體仁公㦛

之五　題識：葉欣　　之六　題識：榮木

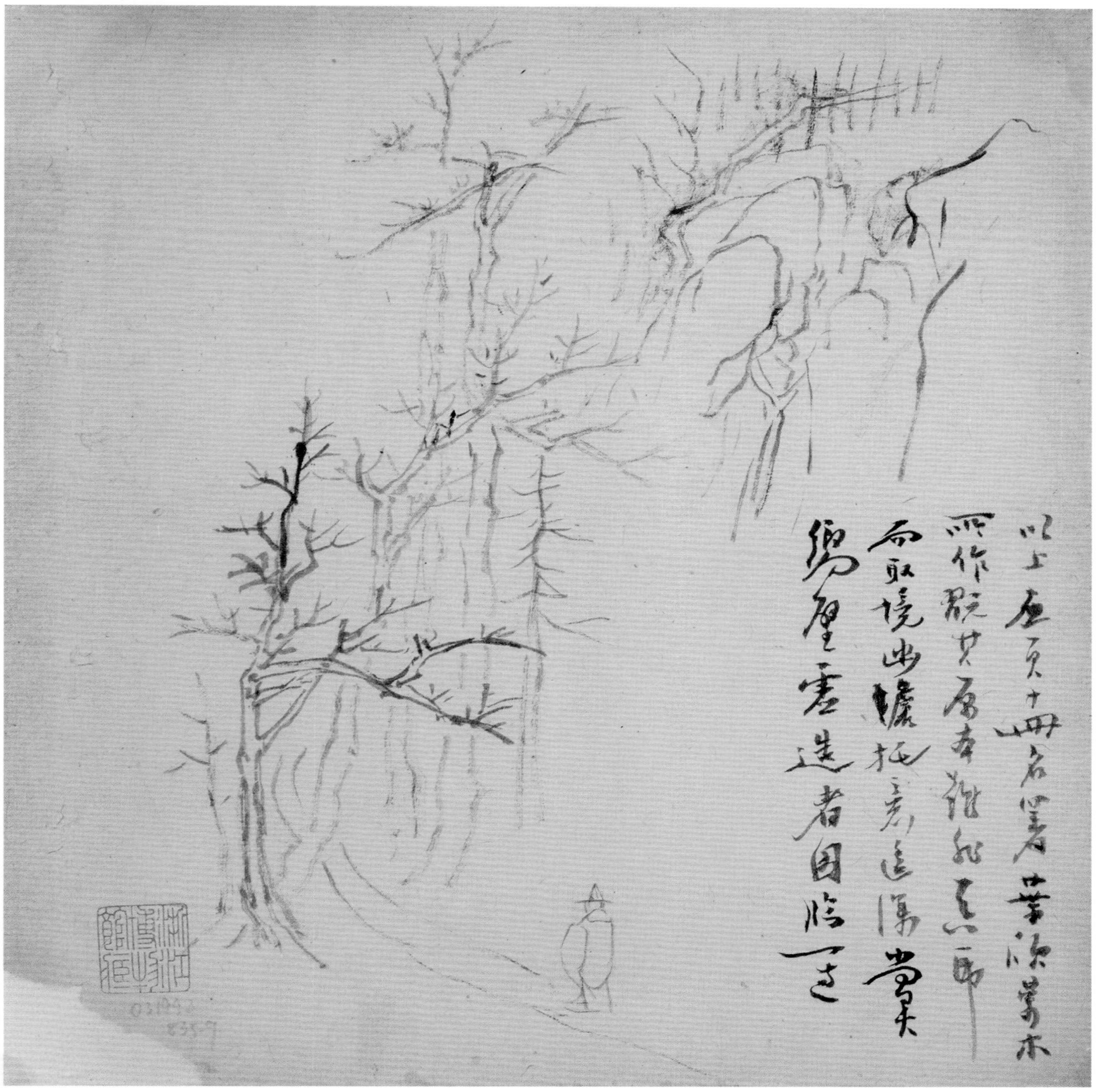

之七　題識：

奇情無可見　老筆漸趨迂　壁絶隨雲過　亭孤借石扶　寫成枯寂性　或恐笑狂夫

之八　題識：

以上畫頁十册　名署葉欣榮木所作　玩其原本雖非真紙　而取境幽澹　托意遙深

當□嚮壁虛造者　因臨一過

臨錢貢山水

四幅

紙本

縱二八厘米

横四一·五厘米

浙江省博物館藏

之一

題識：錢貢

之二

之三　之四

仿古山水 兩幅 紙本 縱二三厘米 横二七厘米 浙江省博物館藏

之一 之二

仿古山水 四幅 紙本 縱二四厘米 橫二〇厘米 浙江省博物館藏

之一 之二

之三

之四

仿古山水

紙本　縱三〇·五厘米　橫四一厘米　浙江省博物館藏

032588

仿古山水　四幅　紙本　縱三二厘米　橫二〇・五厘米　浙江省博物館藏

之一　之二

之三　之四

雜樹 紙本 縱一九厘米 橫一三厘米 私人藏

鈐印：黄賓虹

仿古山水　紙本　縱四三厘米　橫二六厘米　浙江省博物館藏

臨莊崗生山水　四幅　紙本　縱一六·五厘米　橫二八·五厘米　浙江省博物館藏

之一　題識：張秋　之二　題識：武城

之三　題識：德州　之四　題識：臨清

仿古山水 四幅 紙本 縱二三厘米 橫二八·五厘米 浙江省博物館藏

之一 之二

之三　之四

仿古山水 四幅 紙本 縱二九厘米 橫四一厘米 浙江省博物館藏

之一 之二

之三　之四　題識：雲陰半入遠天雨　溪暗忽生高樹風

臨黃易訪碑圖 紙本 縱二三厘米 橫三一·五厘米 浙江省博物館藏

題識：黃易作訪碑圖之一

山水寫生畫稿圖版

黃山寫生 二十八幅 紙本 縱二八·五厘米 橫一九·五厘米 浙江省博物館藏

之一 題識：蓮花峰 鈐印：黃冰鴻

之二　題識：清凉頂西下爲鐵綫潭　伏叢莽中　上蔽懸岩

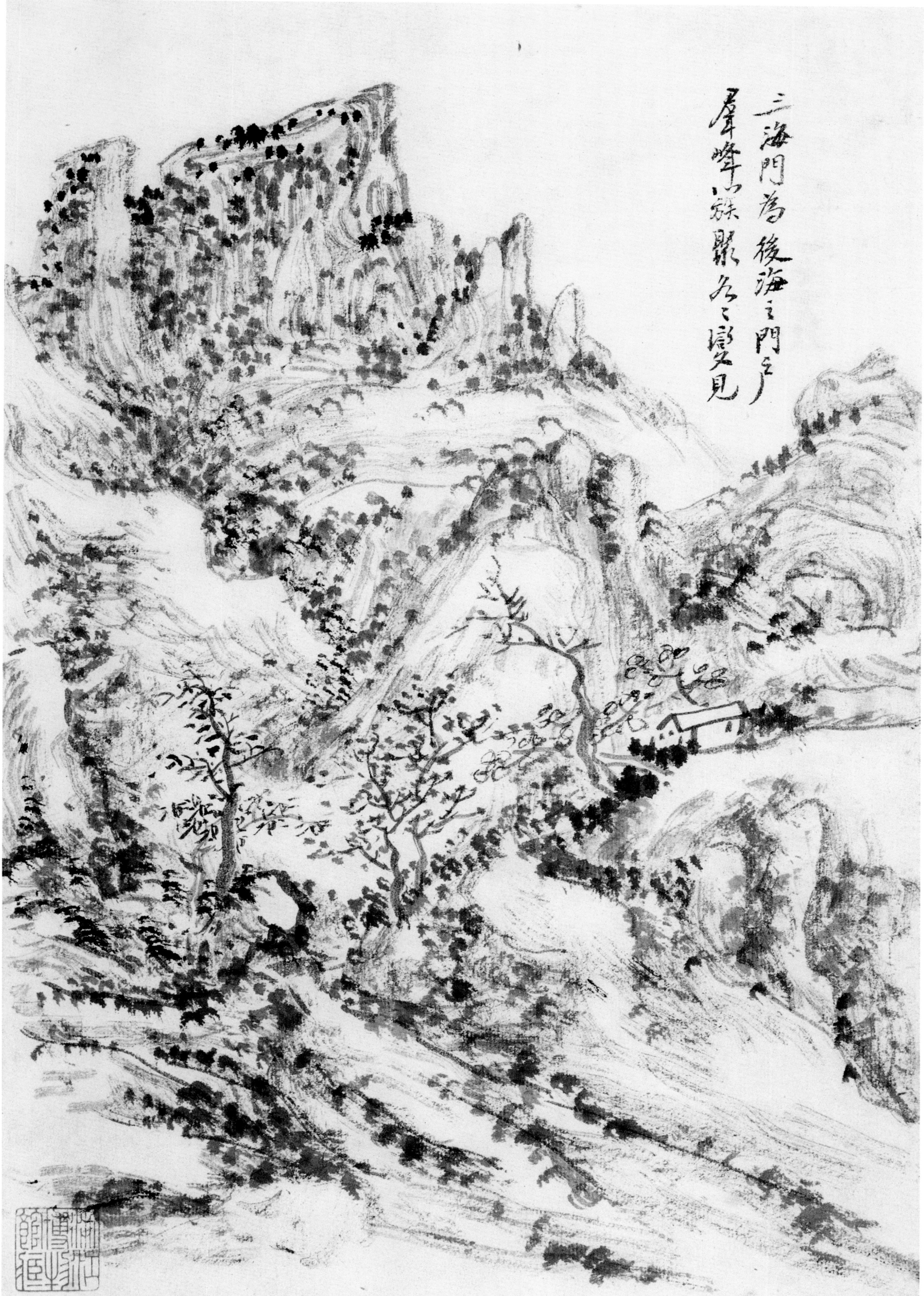

之三　題識：三海門爲後海之門户　群峰簇聚　各各變見

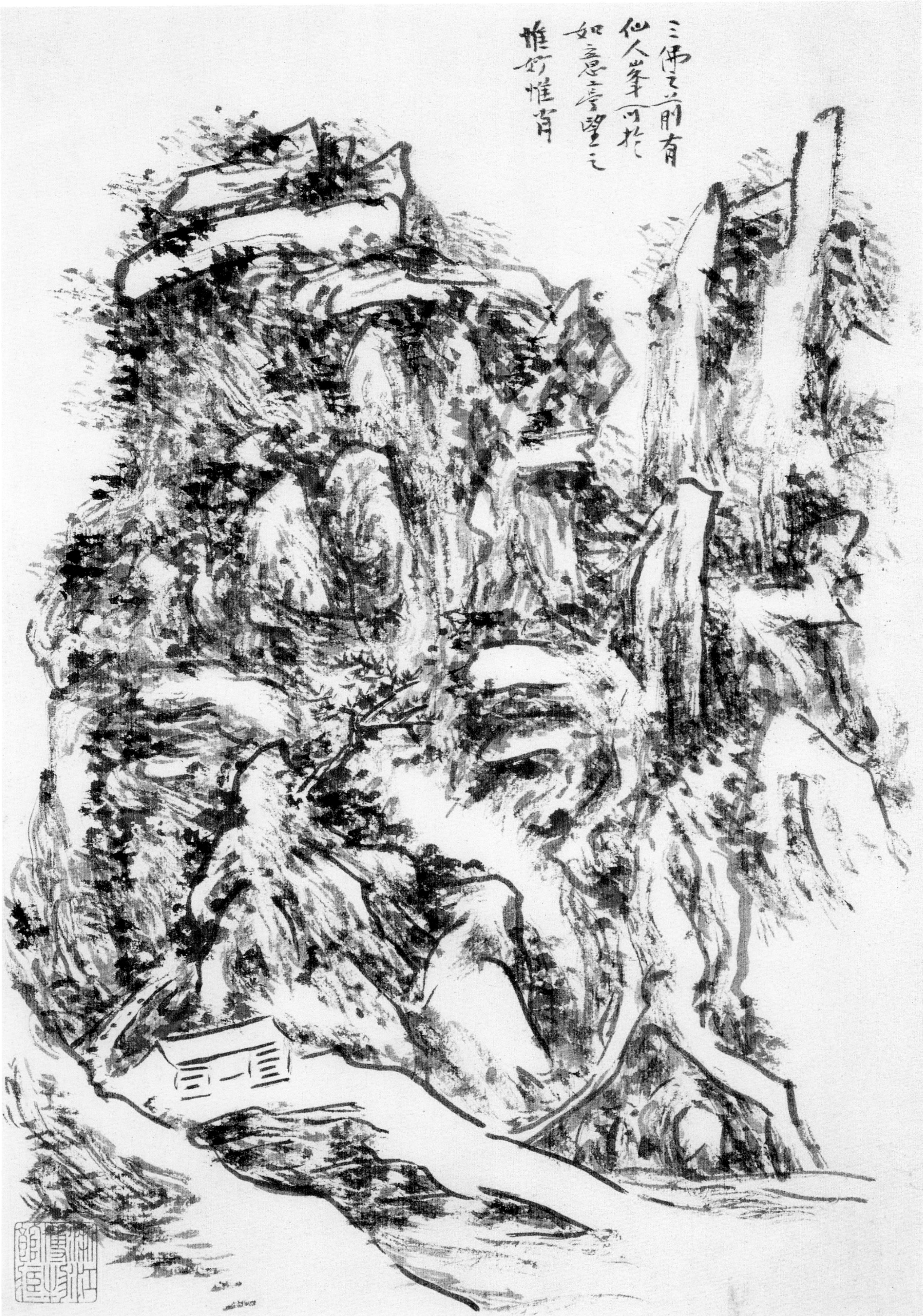
三佛之前有
仙人峰可於
如意亭望之
惟妙惟肖

之四　題識：三佛之前有仙人峰　可于如意亭望之　惟妙惟肖

之五　題識：書箱寶塔二峰　一在劉門上　一在劉門下

之六　題識：容成臺望藥杵峰　縹渺雲海中

之七　題識：讀書在赤鑄　風雪彌青蘿　級綆愁冰斷　村沽怯路蹉　玉峰凝萬象　環萼啄輕螺　古劍摩空宇　寒□啓太阿　赭山爲干將鑄鐵之地　而黃山谷詩書其間　遂作是詩

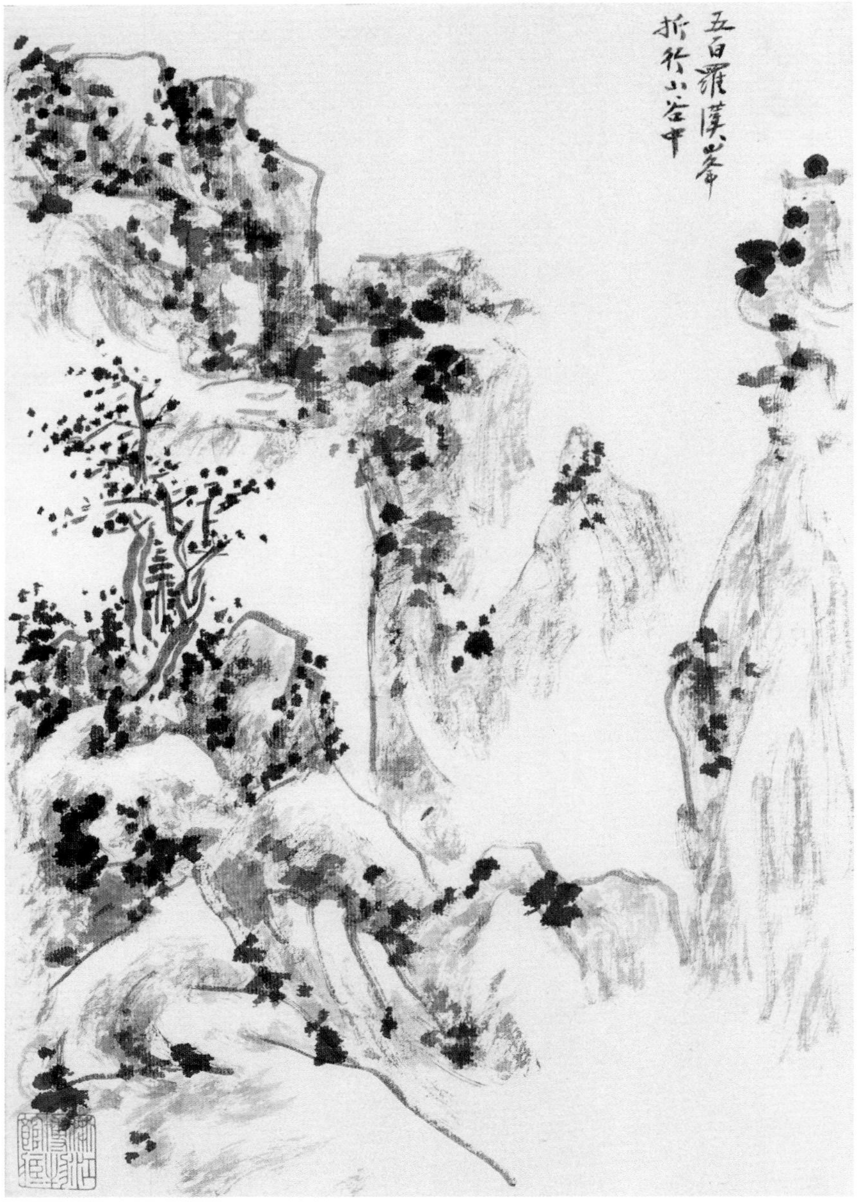

之八　題識：蓮花洞

之九　題識：五百羅漢峰　折行山谷中

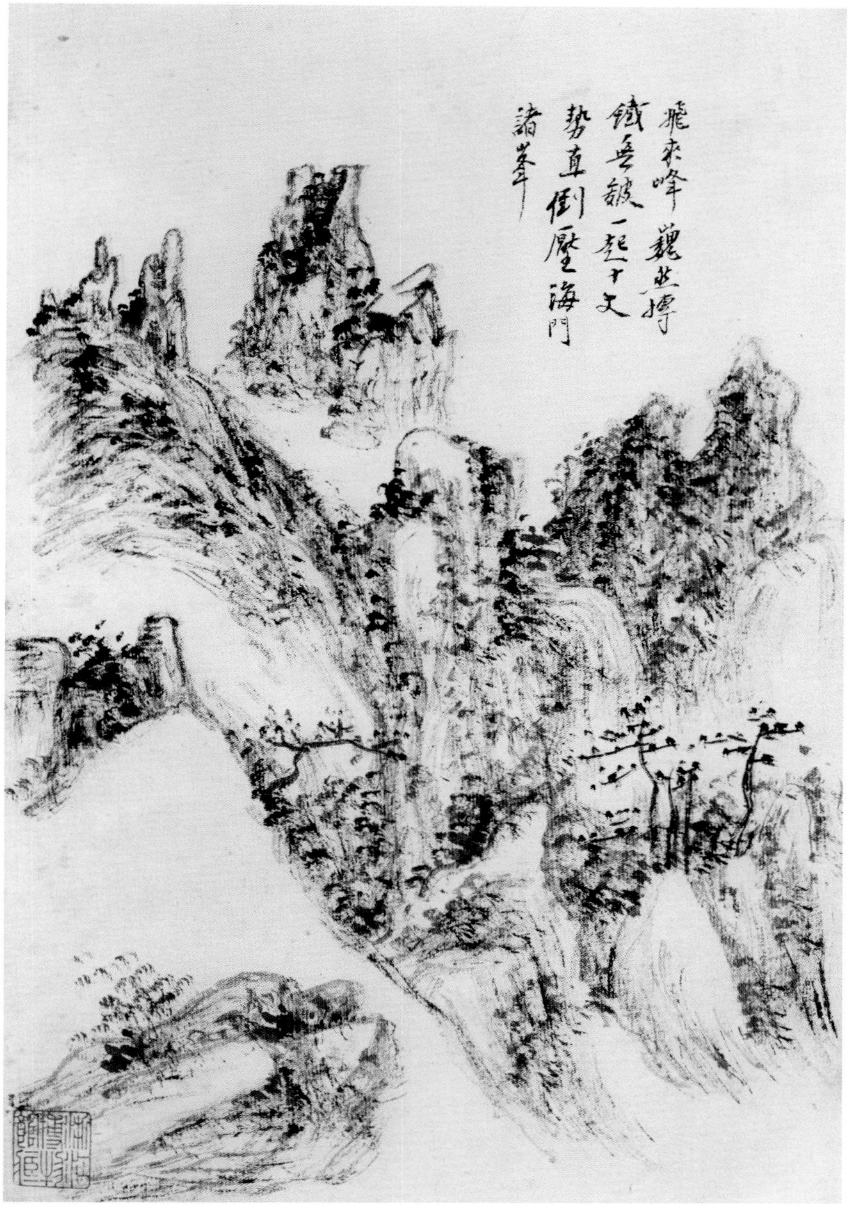

之十
題識：自師林至松谷　越澗三　有橋　架木爲之

之十一
題識：飛來峰巍然摶鐵無皴　一起十丈　勢直倒壓海門諸峰

之十二　題識：丞相觀棋

之十三　題識：油潭

之十四
題識：平天矼　矼長五六里　廣數十步　上即光明頂

之十五
題識：清涼臺東下折北行　澗水淙淙自山縫出

之十六　題識：下劉門北降　近松谷老基　俗名童子拜觀音與天都峰下异地同名

之十七　題識：叠嶂峰積翠綿延　松谷庵在其北麓

之十八

題識：清凉頂西下爲鐵綫潭　伏叢莽中　上蔽懸岩

之十九

題識：清凉臺後　藥杵仙桃諸峰

之二十

之二十一

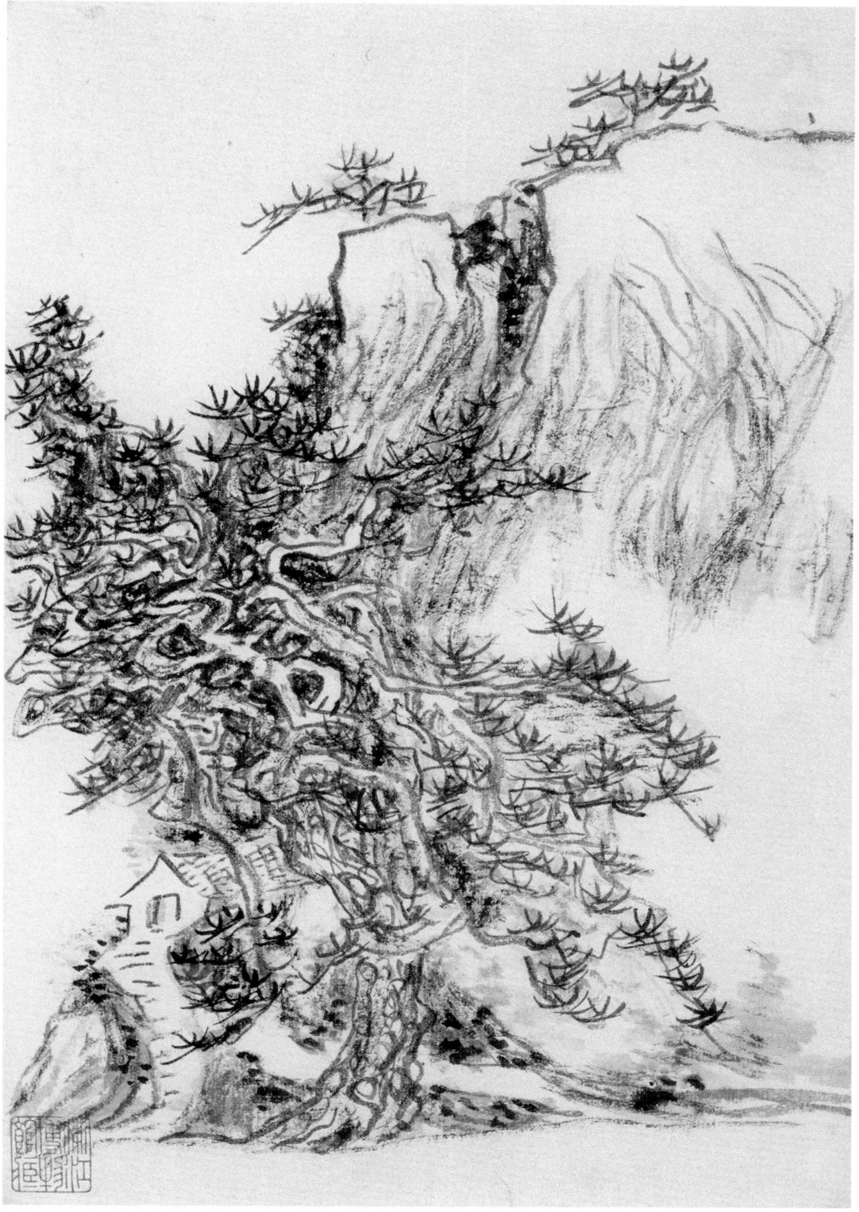

之二十二

之二十三

之二十四　題識：擾龍松

之二十五

之二十六

之二十七

之二十八　題識：石笋峰

智慧海一角　紙本　縱四〇厘米　橫二二·八厘米　浙江省博物館藏

題識：游須彌寺下智慧海一角　鈐印：黃賓虹

黄山寫生 兩幅

紙本　縱二三·五厘米　橫二七厘米　浙江省博物館藏

之一　題識：翠微寺　鈐印：虹若

之二一　題識：煉丹臺與蒲團松相望　鈐印：虹若

黃山寫生　四幅

紙本　縱二〇·五厘米　橫三七·五厘米

浙江省博物館藏

之一

題識：西海門以外巉岩路絶　僅通飛雲

之二

題識：麒麟松近清涼臺　枝葉鬱林

青翠欲滴

之三　題識：
雲外峰爲後海最高者　南接丹霞
東鄰師子

之四　題識：
西海門金塔麒麟寶几　珍御美不可舉

黃山寫生　四幅　紙本　縱二三·五厘米　橫二七厘米　浙江省博物館藏

之一　題識：五老峰　鈐印：黃賓公

之二　題識：海會寺在五老峰下　鈐印：黃賓公

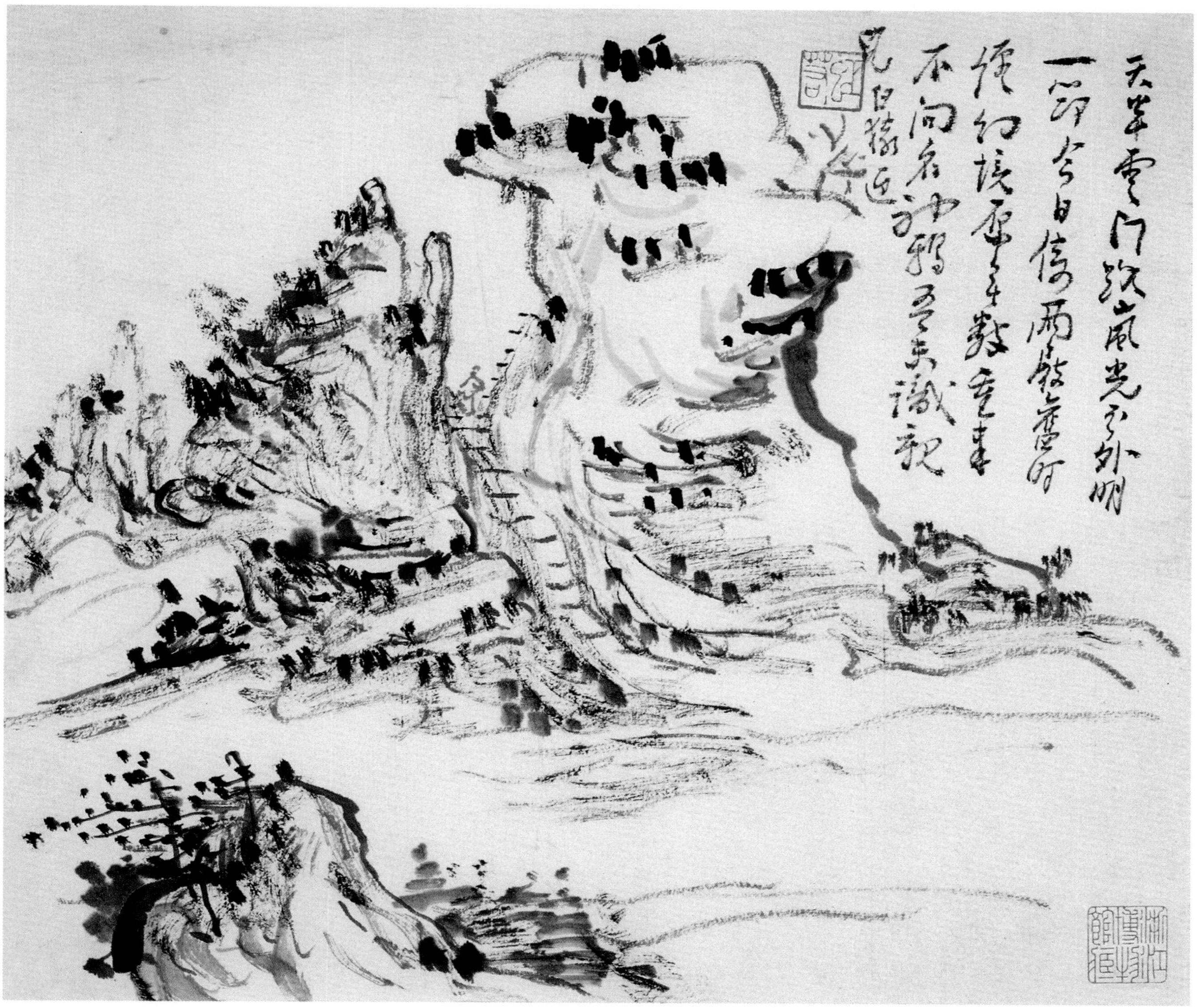

之三　題識：天半雲門路　嵐光分外明　一筇今日倚　兩屐舊時徑　幻境原無數
重來不問名　神鴉吾未識　親見白猿迎　鈐印：虹若
之四　題識：湯口入松谷　鈐印：虹若

山水寫生 兩幅 紙本 縱二五厘米 横二七厘米 浙江省博物館藏

之一 題識：玉壘關

之二 題識：吴波亭 志載吴波秋月 舊傳湖生蚌光 豐盈瑩澈 爲景之至者

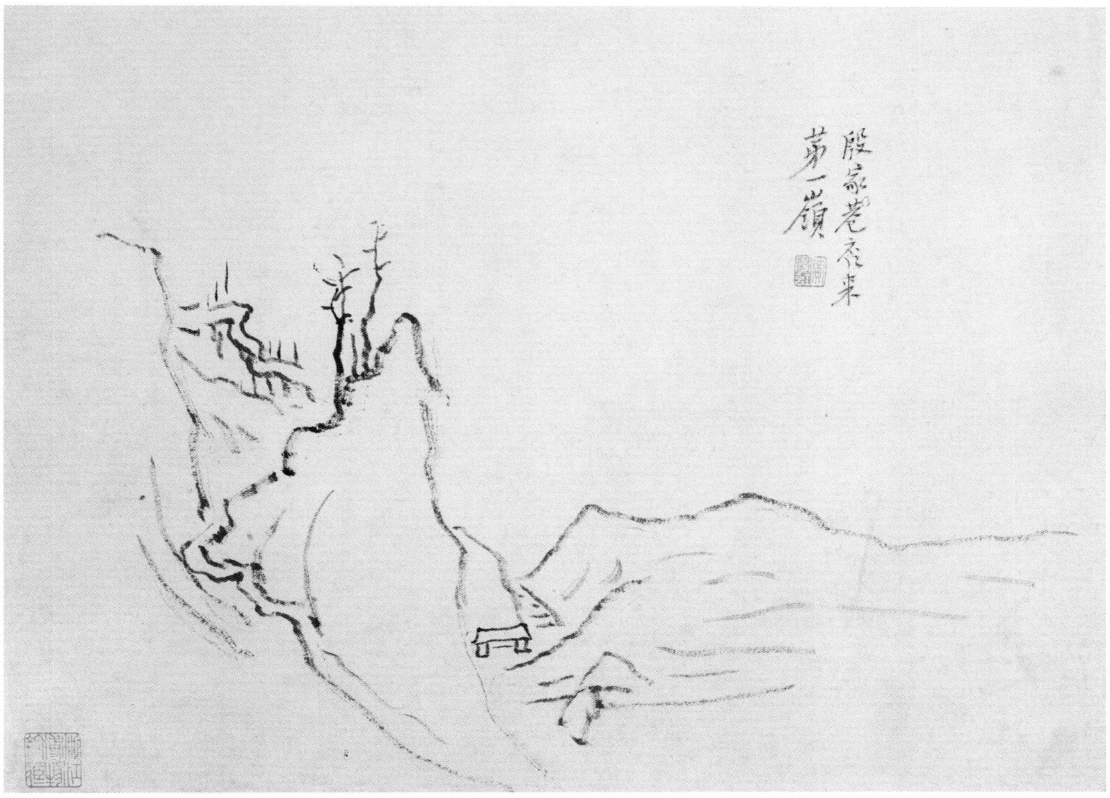

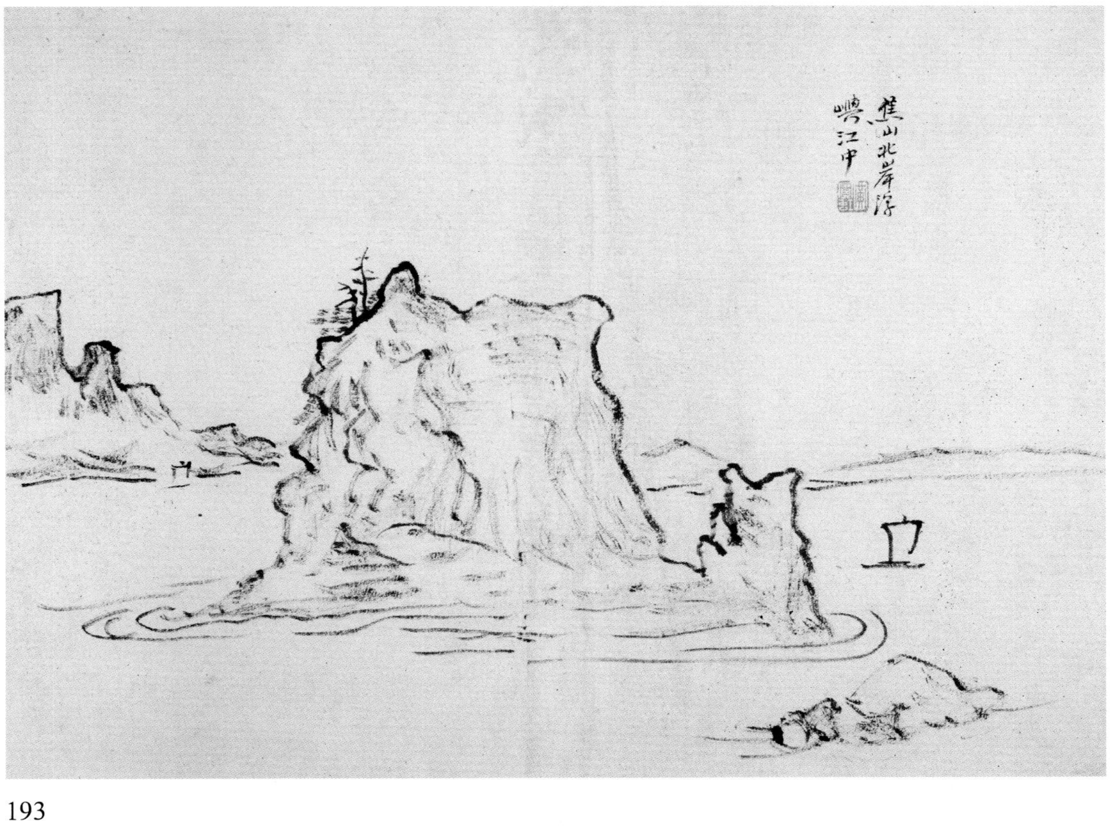

山水寫生　三幅　紙本　縱二六·八厘米　橫三四·八厘米　浙江省博物館藏

之一　題識：甘露寺　鈐印：黃賓虹

之二　題識：殷家巷店來第一嶺　鈐印：黃賓虹

之三　題識：焦山北岸浮嶼江中　鈐印：黃賓虹

山水寫生 四幅

紙本 縱三九厘米 橫二七厘米 浙江省博物館藏

之一 柳亭山

題識：柳亭山一名昌山 昌溪之水出焉 其南有飛來峰

之二 商飆別館

題識：商飆別館 齊武帝建重九臺登高

之三　落星岡
題識：落星岡　江寧城西北九里　梁王僧辨連營
立柵以拒侯景于此　又李白貂裘换酒處
之四　老竹嶺
題識：白石山老竹嶺　二源匯于官橋　合小溪水
至于齊武

山水寫生 兩幅

紙本

縱一七厘米 橫二九·五厘米

浙江省博物館藏

之一 題識：虎岩若蘇之虎丘

之二 題識：七里瀧出口

鍾山　紙本

縱三五·六厘米　橫二六·七厘米

浙江省博物館藏

題識：鍾山

楚子熊商以揚州之地

有王氣　因埋金以鎮之

置金陵　秦改秣陵

鈐印：黄賓虹

琅山寫生　四幅　紙本

縱三一厘米　橫六八厘米

浙江省博物館藏

之一　題識：琅山壹

之二　題識：琅山貳

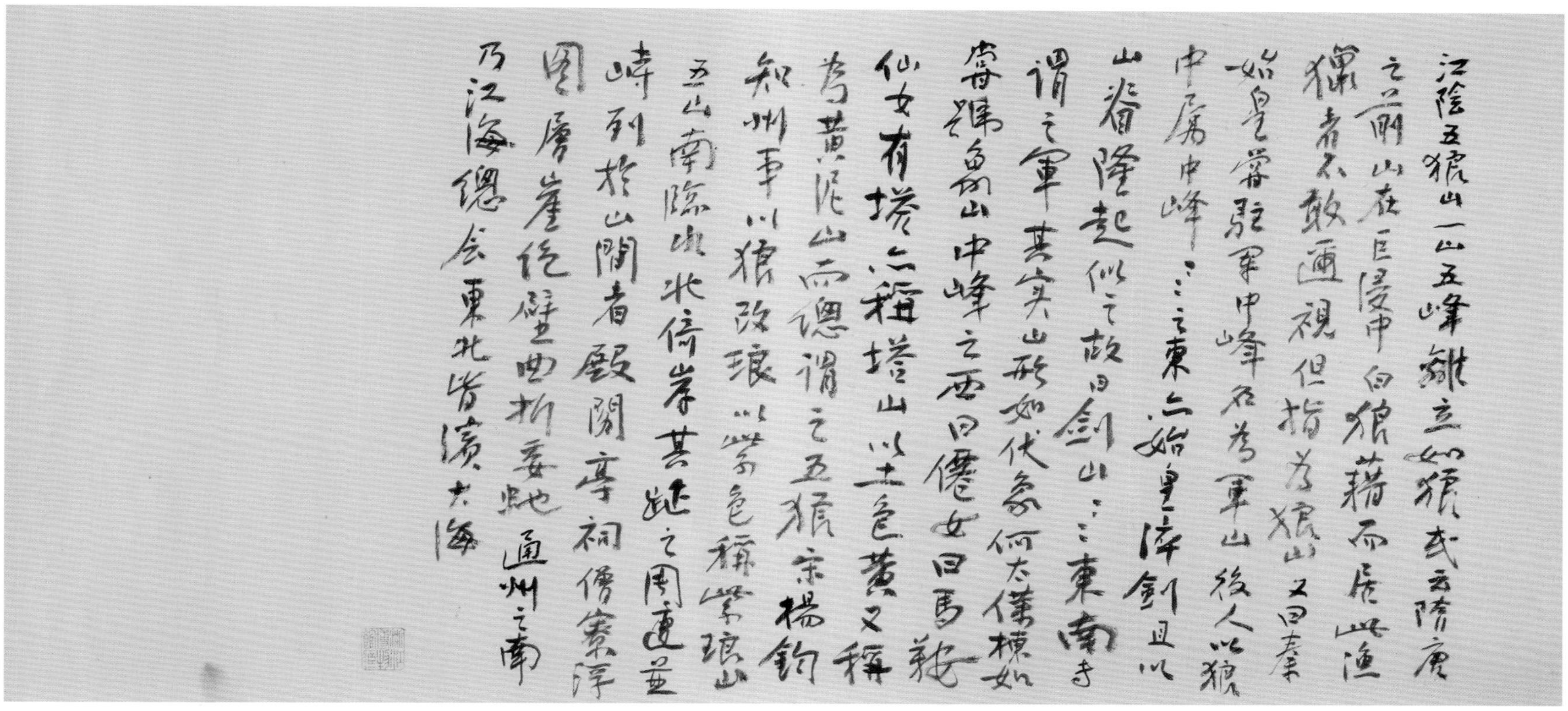

之三　題識：琅山叄

之四　釋文：

江陰五狼山一山五峰　離立如狼　或云隋唐之前山在巨浸中　白狼藉而居此　漁獵者不敢邇視　但指爲狼山　又曰秦始皇嘗駐軍中峰　名爲軍山　後人以狼中屬中峰　中峰之東　亦始皇淬劍且以山脊隆起似之　故曰劍山　劍山東南專謂之軍　其實山形如伏象　何太僕棟如嘗號象山　中峰之西曰仙女　曰馬鞍　仙女有塔　亦稱塔山　以土色黄　又稱爲黄泥山　而總謂之五狼　宋楊鈞知州事　以狼改琅　以紫色稱紫琅山　五山南臨水　北倚岸　其趾之周遭并峙列于山間者　殿閣亭祠　僧寮浮圖　層崖絶壁　曲折委蛇　通州之南乃江海總會　東北皆濱大海

臨安山色　紙本　縱四〇·一厘米　橫二二·八厘米　浙江省博物館藏

題識：臨安山色　矼叟　鈐印：黃賓虹

昱嶺關至歙道中　紙本　縱四〇・一厘米　横二二・八厘米　浙江省博物館藏

題識：昱嶺關至歙道中　砡叟　鈐印：黄賓虹

臨安至昌化有曰
九州山路緣崖盤
旋屈曲遠與苕
溪相映帶

山水寫生　三幅

紙本　縱二六厘米　橫四〇厘米　浙江省博物館藏

之一　題識：臨安至昌化　有曰九州山　路緣崖盤旋屈曲遠與苕溪相映帶　鈐印：黃賓虹

之二　題識：於潛縣東　以落雲山爲著勝　高峰插霄黛色欲滴　下俯深溪　頓豁心目　鈐印：黃賓虹

之三　題識：懸霤山一名垂霤　屬臨安縣　西南溪流高岸爲水激嚙　石多崩圻　樹根半露　鈐印：黃賓虹

在潛縣東北落雲山
爲著勝高峰插霄
黛色欲滴下俯深溪
頓豁心目

懸雷山一名垂雷
屬臨安縣西南溪
流高岸為水激齧
石多崩坼樹根半
露

山水寫生 十二幅 紙本 縱二七·五厘米 橫三七·五厘米 浙江省博物館藏

之一 題識：桐廬

之二 之三 之四

之五　題識：版書之上　之六　題識：東西臺　之七　題識：四十九盤

之八　題識：梯雲谷頂　之九　題識：梯雲谷口

之十　之十一　題識：下梯雲谷

之十二

山水寫生 八幅 紙本 縱二八·五厘米 橫一七厘米 浙江省博物館藏

之一 題識：富春山 之二 題識：石橋岩 之三 題識：白□夫人廟 之四

之五　題識：落石　之六　題識：岑山
之七　題識：七里瀧　之八　題識：響山潭

五泄方岩寫生 十幅 紙本 縱二八·五厘米 橫一六·五厘米 浙江省博物館藏

之一 題識：天嶺望五泄寺

之二　題識：夾岩寺

之三　題識：岩下村

之四　題識：方岩過鷄鳴山爲胡家祠

之五　題識：浣紗江古苧蘿村

之六　題識：白龍岡下夾岩寺

之七　題識：五泄

之八　題識：劉龍寺

之九　縱二八·五厘米　横三三厘米

題識：方岩

之十　縱二八·五厘米　橫三三厘米
題識：方岩鷄鳴山有鐘岩

化石亭 紙本 縱二三·二厘米 橫二九·四厘米 浙江省博物館藏

題識：化石亭在江郎山下 鈐印：黃冰鴻

山水寫生 十二幅 紙本 縱二八·八厘米 橫一九·五厘米 浙江省博物館藏

之一

之二　題識：江郎三片石山下能仁禪寺

之三

之四

之五　題識：疊龜峰　之六　題識：化石亭在江郎山下

之七　題識：弋陽振衣石　之八　題識：上清河

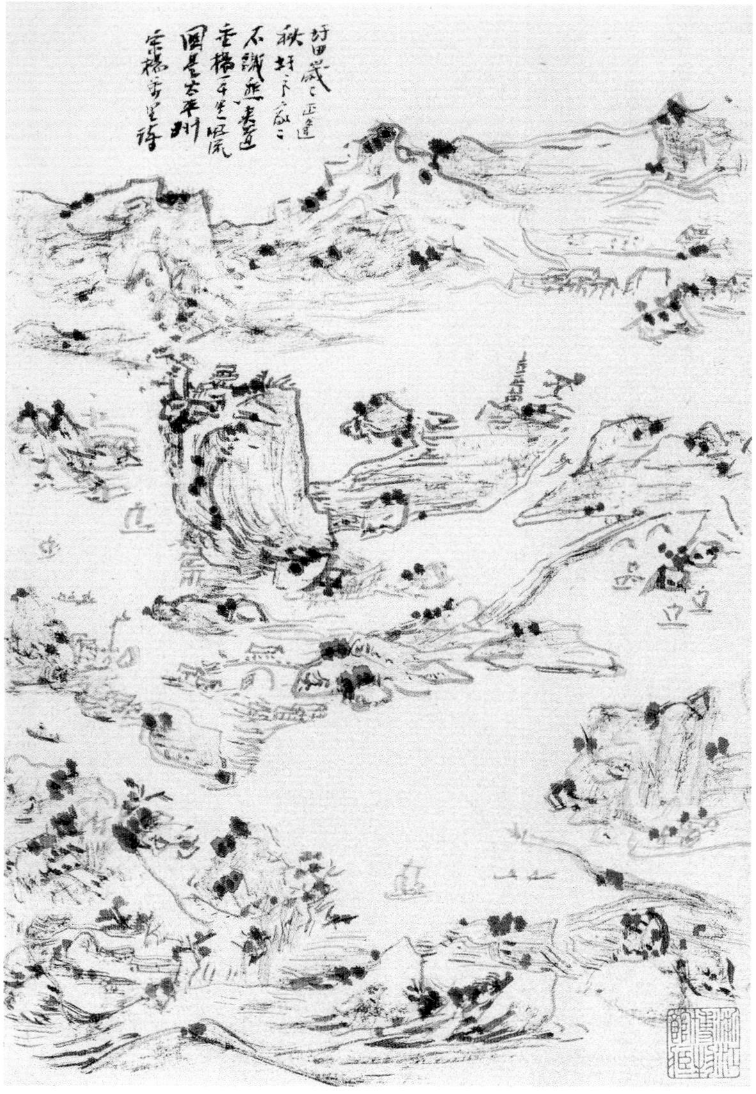

之九　之十　題識：圩田歲歲正逢秋　圩戶家家不識愁　夾道垂楊一千里　風流關是太平州　宋楊萬里詩

之十一　之十二　題識：夕游繁昌浦　暮烟生遠渚　歸鳥赴前洲　隔山聞戍鼓　晉劉孝綽詩

雁蕩速寫　四幅

紙本鋼筆

縱一二·七厘米　橫二〇·六厘米

浙江省博物館藏

之一　題識：上垟

之二　題識：羅漢寺

之三　題識：大龍湫左

之四　題識：大龍湫口

武夷山寫生 十四幅 紙本 縱一九·五厘米 横二八·八厘米 一九五〇年作 浙江省博物館藏 之一

之二 之三

之四　之五

之六　之七

之八 之九

之十　之十一

之十二　之十三

之十四　題識：

余自丁亥之春　避迹公路　與漢侯知己往來　每一聚首　輒談山水名勝　慕游之興　心神俱往　特以長卷命畫　聊當卧游　第山水之奇　盡于閩越間　余自武夷之白門　所經歷山水可入畫圖者　藏之胸中久矣　一披此卷則神馳摹寫　其中亦有得意會心處　不失幽澹疏密之趣　願同志者教之　并博漢侯一粲　時庚寅小春之望　磊石山樵叟翁陵壽如有識

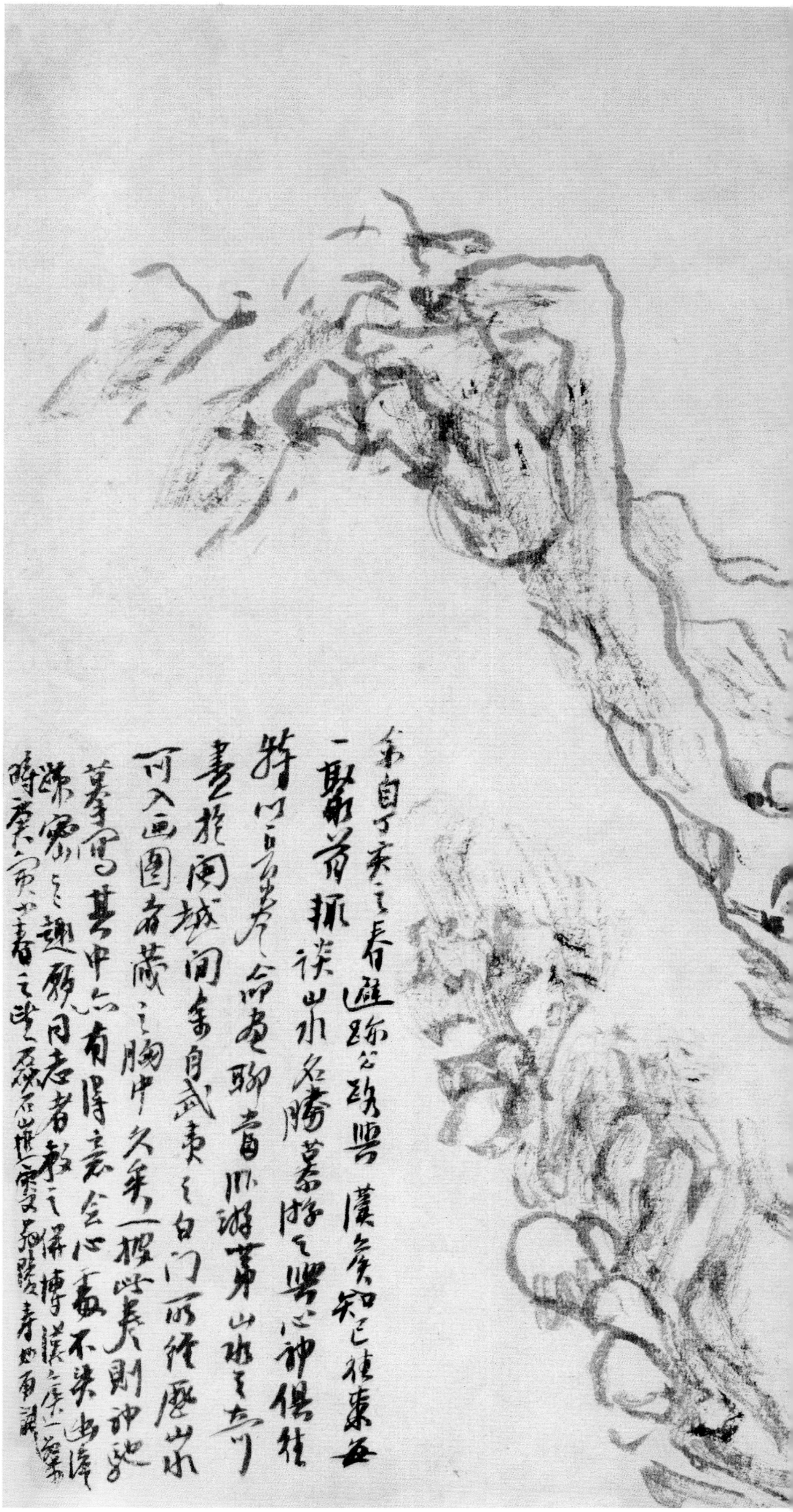

武夷山寫生　十幅　紙本　縱二九·五厘米　橫四五厘米　浙江省博物館藏

之一　題識：武夷一之五

閩中名勝　道書稱十六洞天　在崇安縣南三十里　周四百二十里　東南皆枕流水

一水北至　一水西來　□下于大王峰前合南流以爲建溪　自山前渡初入溪　曰溪口

灘舟由此進不數棹　稍折而北復西　是爲一曲　游者或自崇安而下　或自建陽而上

皆必由此　若從邵武來則至星村　從九曲順流而下

水簾洞　換骨洞　彭祖故地　蘭湯渡　三姑峰　問津亭　幔亭峰　大王峰

復古洞　水光石　儒巾石　鐵板嶂　翰墨石　方印石　妝鏡臺

一曲　宋白玉蟾詩十首

流水光中飛落葉　白雲影裏噪幽禽　人間幾度曾孫老　只有青山無古今

二曲　升真洞　白玉蟾句

得得來尋仙子家　升真洞口正蜂衙　一溪春水漾寒碧　流出緗桃幾片花

之二　題識：二曲

三杯石　舞雪臺　凌霄峰　落石　玉女峰　仙浴池

二曲　玉女峰

插花臨水一奇峰　玉骨冰肌處女容　烟映霞衣春帶雨　雲鬟霧鬢曉梳風

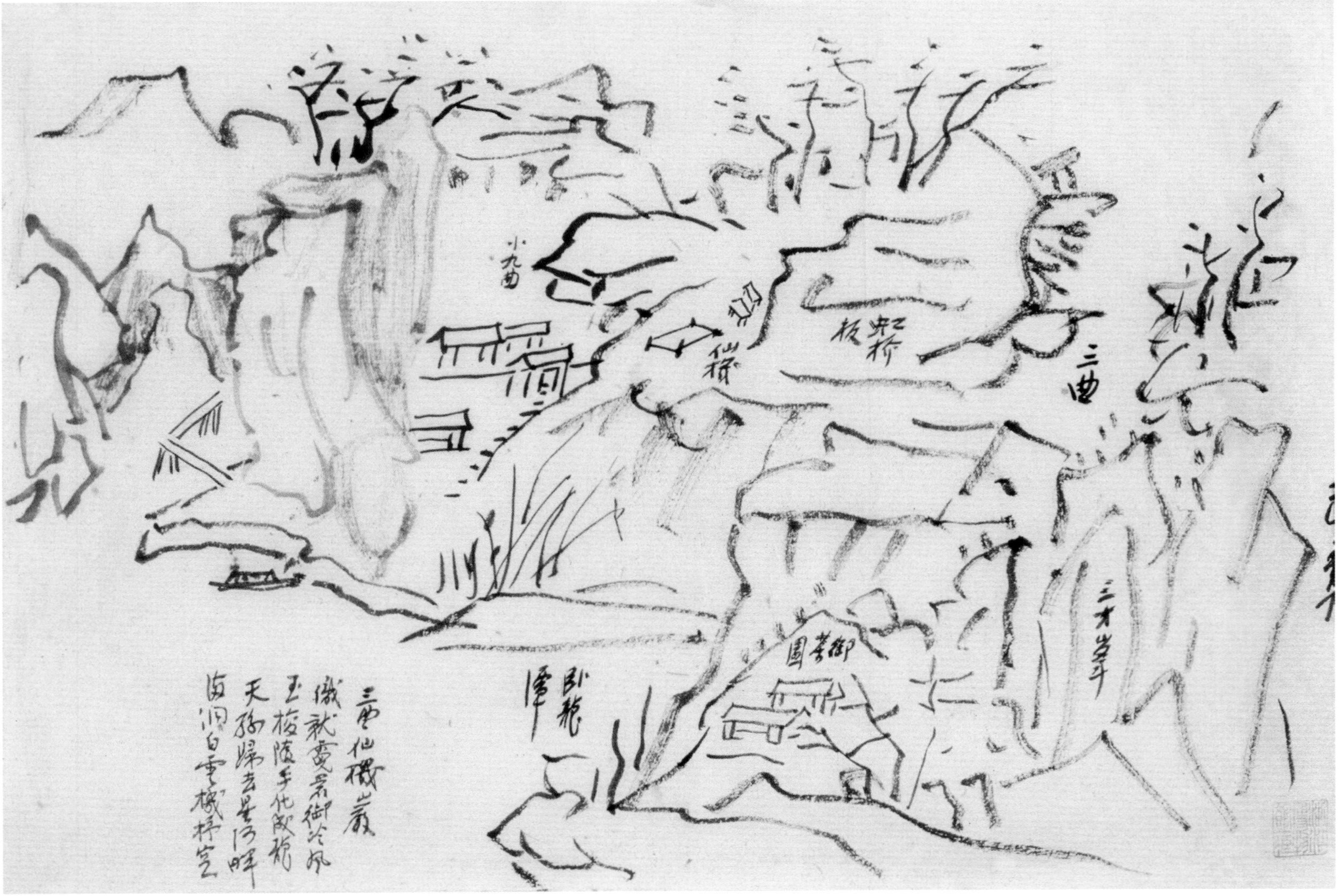

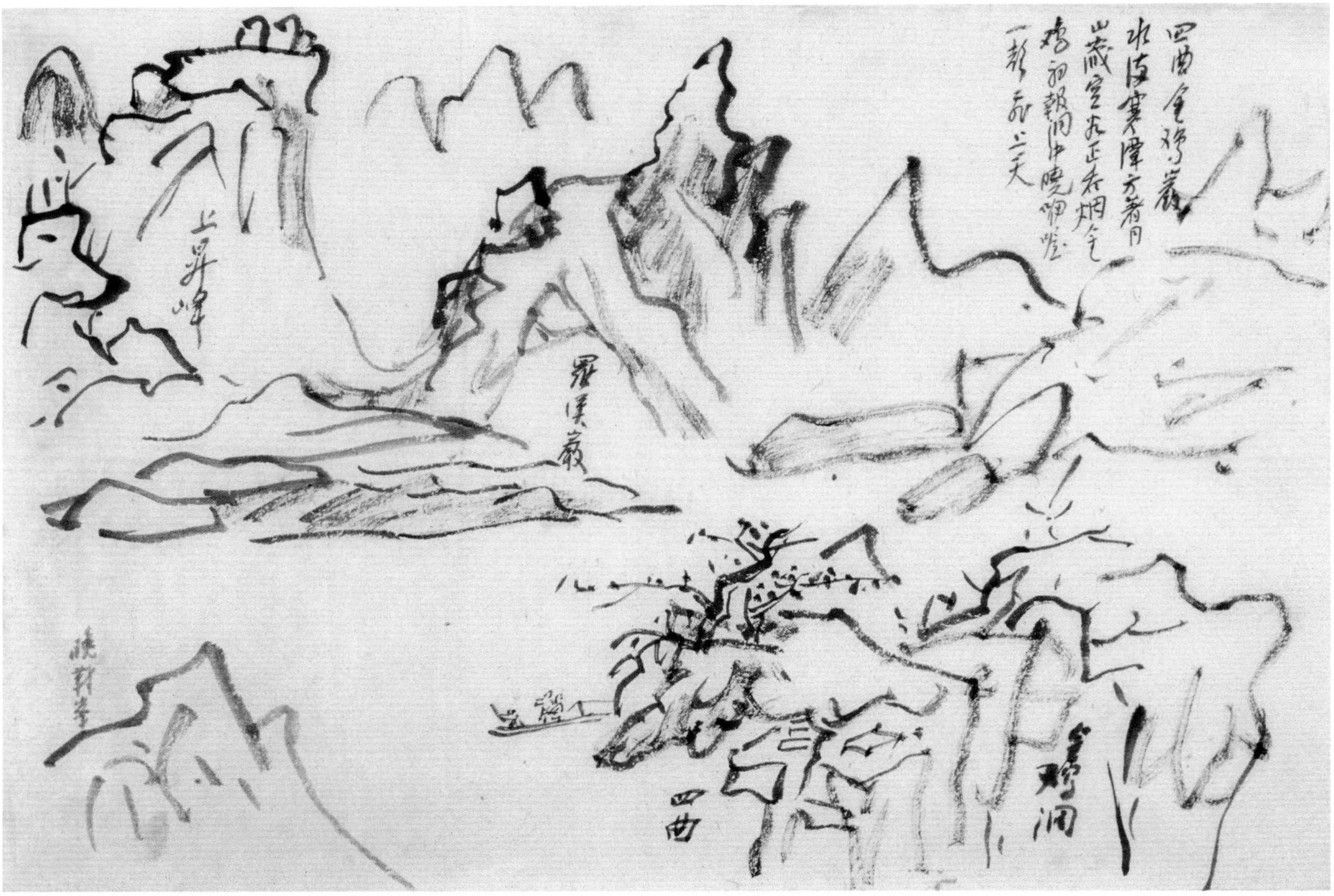

之三　題識：

三曲

三方峰　虹橋板

御茶園　仙機

卧龍潭　小九曲

三曲　仙機岩

織就霓裳御冷風

玉梭隨手化成龍

天孫歸去星河畔

滿洞白雲機杼空

之四　題識：

四曲　金鷄岩

水滿寒潭方着月

山藏空谷正吞烟

金鷄初報洞中曉

呷喔一聲飛上天

金鷄洞　四曲

羅漢岩　上升峰

晚對峰

之五　題識：

五曲　雲窩

櫻笋　茶洞

石沼青蓮

之六　題識：

茶灶　更衣臺

玉華峰　五老峰

日升峰　仙樂亭

天隱屏

朱文公書院

平林渡口

五曲　鐵笛亭

滿天沆瀣起清風

白鶴飛來上翠松

月冷山空吹鐵笛

一聲喚起玉淵龍

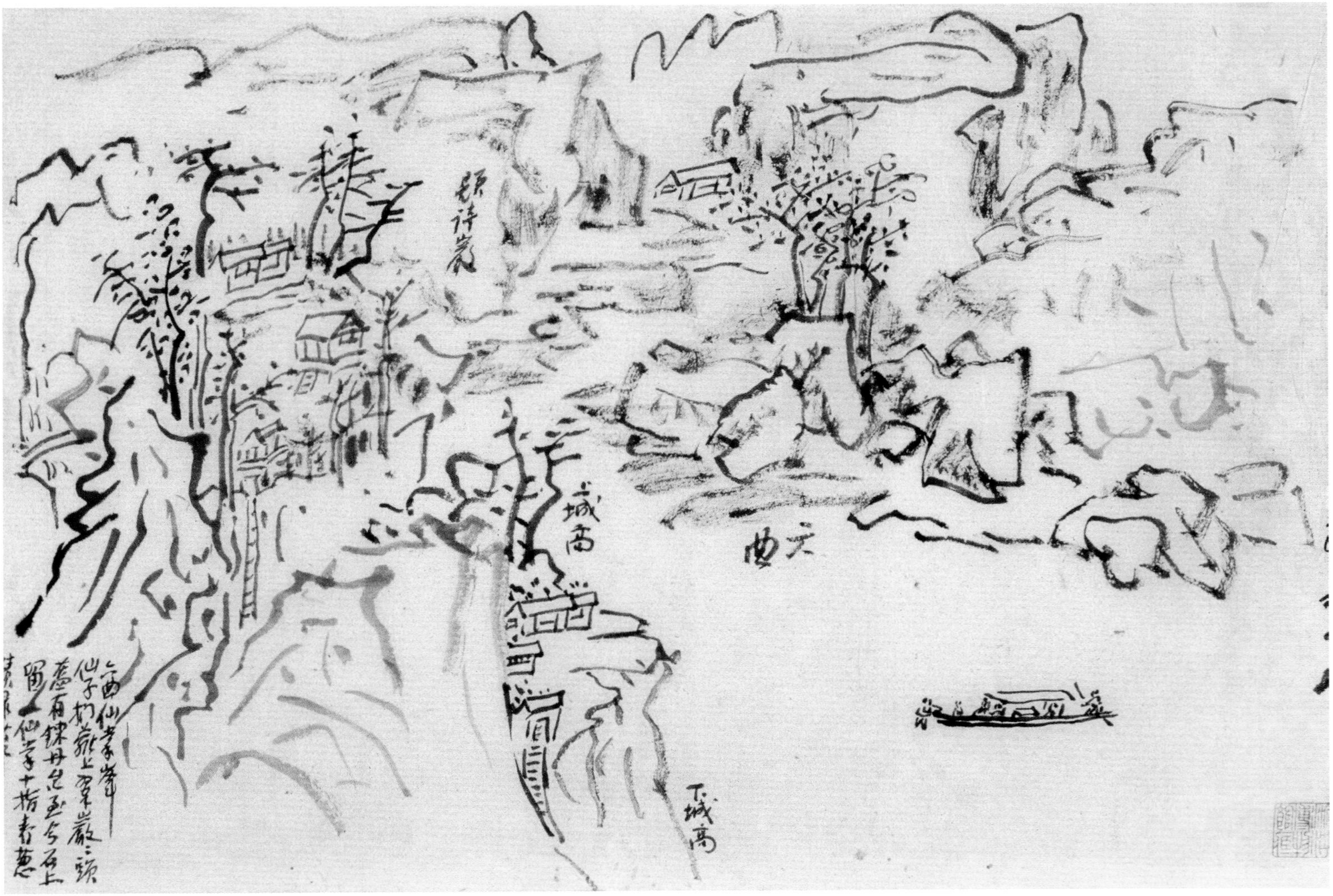

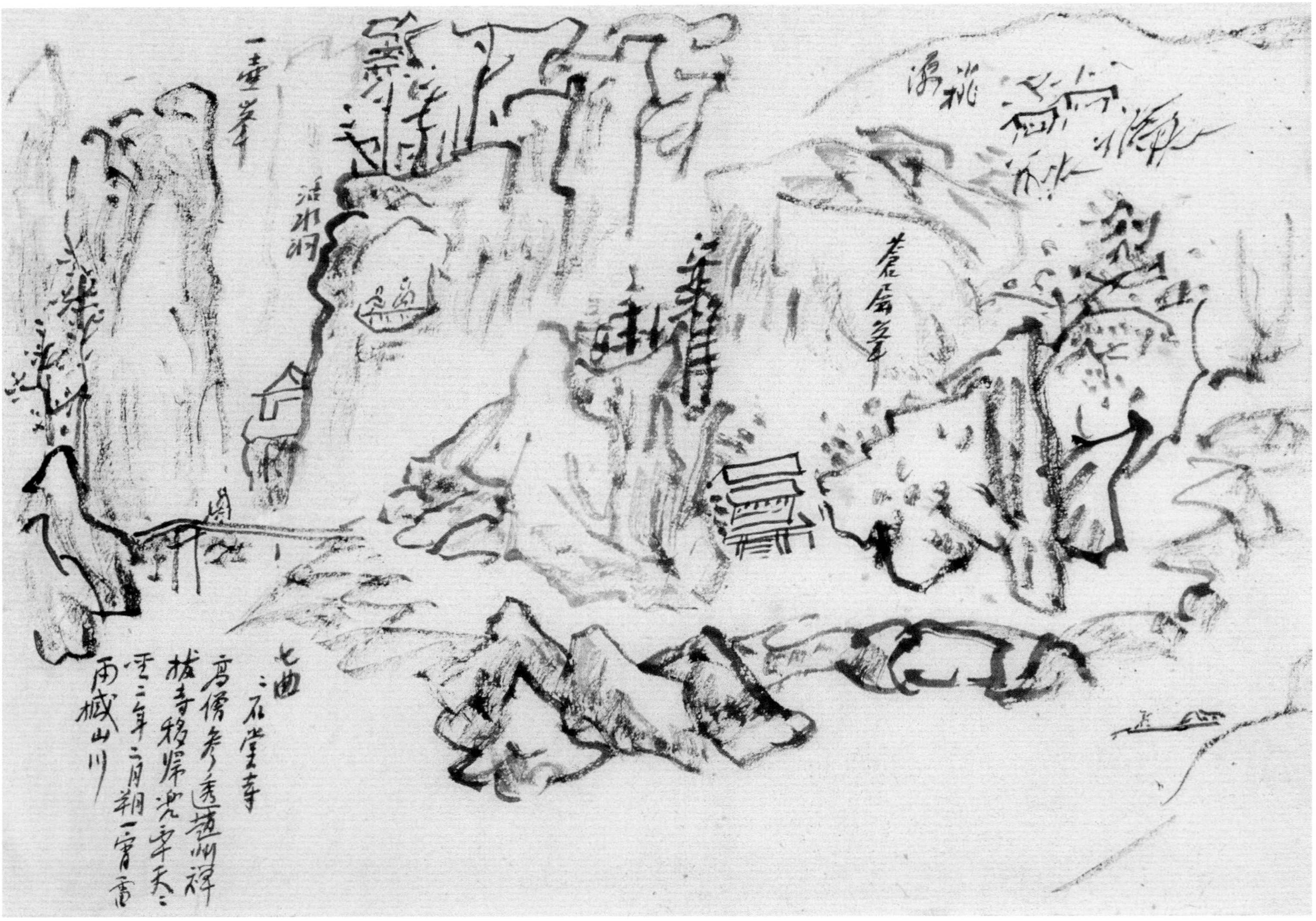

之七　題識：

六曲　上城高

下城高　題詩岩

六曲　仙掌峰

仙子擸籠上翠岩
岩頭舊有煉丹臺
至今石上留仙掌
十指春葱積緑苔

之八　題識：

小桃源　蒼屏峰

活水洞　一壺峰

七曲

七曲　石堂寺

高僧參透趙州禪
拔寺移歸兜率天
天聖二年二月朔
一宵雷雨撼山川

之九 題識：

八曲 鼓樓岩

萬丈高岩聳石樓

雲翬烟擁瞰寒流

幔亭昔聚曾孫宴

石鼓拿歸古渡頭

大廪石 小廪石

三教峰 白雲洞

八曲 烟際岩

□石峰

之十 題識：

九曲 清徽太和宮

九曲 星村市

落日移舟上碧灘

桃花林外見青山

耳邊忽爾聞鷄犬

不遇劉郎不肯還

宋李綱 白玉蟾

辛弃疾 方岳

元趙友士 葉西澗

韓元吉 蕭子和

明周斌 王燧

李鐸 董其昌

皆有題武夷山圖詩

南海寫生 八幅 紙本 縱一九厘米 橫五二·二厘米 浙江省博物館藏

之一 題識：□角石上鎸二宮分路 之二

之三　之四　之五

題識：山外編籬石上鎸山海奇觀四大字

之六　之七　之八

山水寫生 八幅

紙本 縱二八·八厘米 橫一九·五厘米 浙江省博物館藏

之一 之二 題識：海山南望

之三　題識：肇慶對岸

之四　題識：香港東望

之五　題識：象其

之六　題識：蓬冲北岸

之七　題識：小桀

之八　題識：大背口

寶安香港寫生 六幅

紙本 縱三〇厘米 橫四五厘米 浙江省博物館藏

之一 題識：華表峰正向

之二一　題識：香港仔深水淺水二灣

之三
題識：太平山道南望水塘諸山
之四
題識：昂船洲

之五

題識：里岩角在九龍東北有平湖臨海涘

之六

題識：游香港山　起首黃坭涌峽

象鼻山 紙本 縱二六·五厘米 橫一六·九厘米 浙江省博物館藏

題識：象鼻山 鈐印：黃冰鴻

溪流環堯山 紙本 縱二六·五厘米 橫一六·九厘米 浙江省博物館藏

題識：溪流環堯山 鈐印：黃冰鴻

堯山純土少石
最奇環繞
衆峰中特見
渾厚

桂粤寫生 八幅 紙本 縱二八厘米 橫一七·五厘米 浙江省博物館藏

之一 題識：堯山純土少石最奇 環繞群峰中 特見渾厚

之二　題識：獨秀山

之三　題識：水月洞望伏波山

之四　題識：韶音洞岩石

之五
題識：七星岩後洞
望曾公岩
之六
題識：韶音洞臨水
之七　之八
題識：鬥鷄山西望

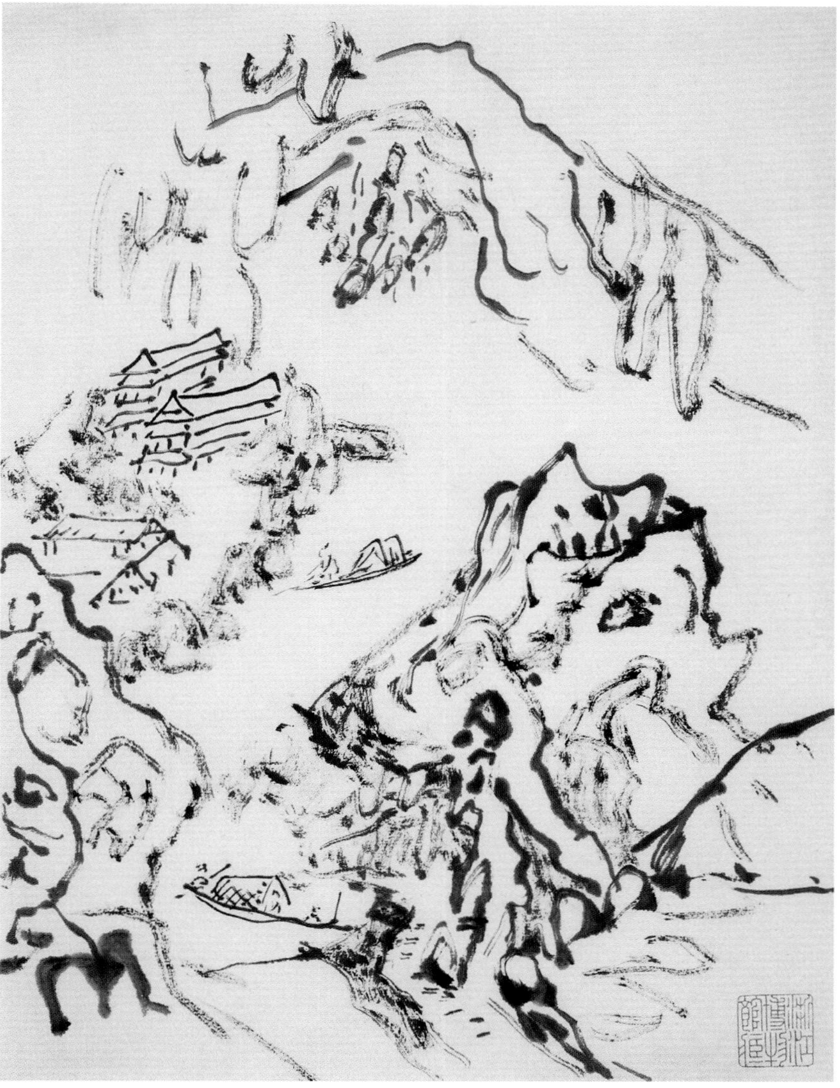

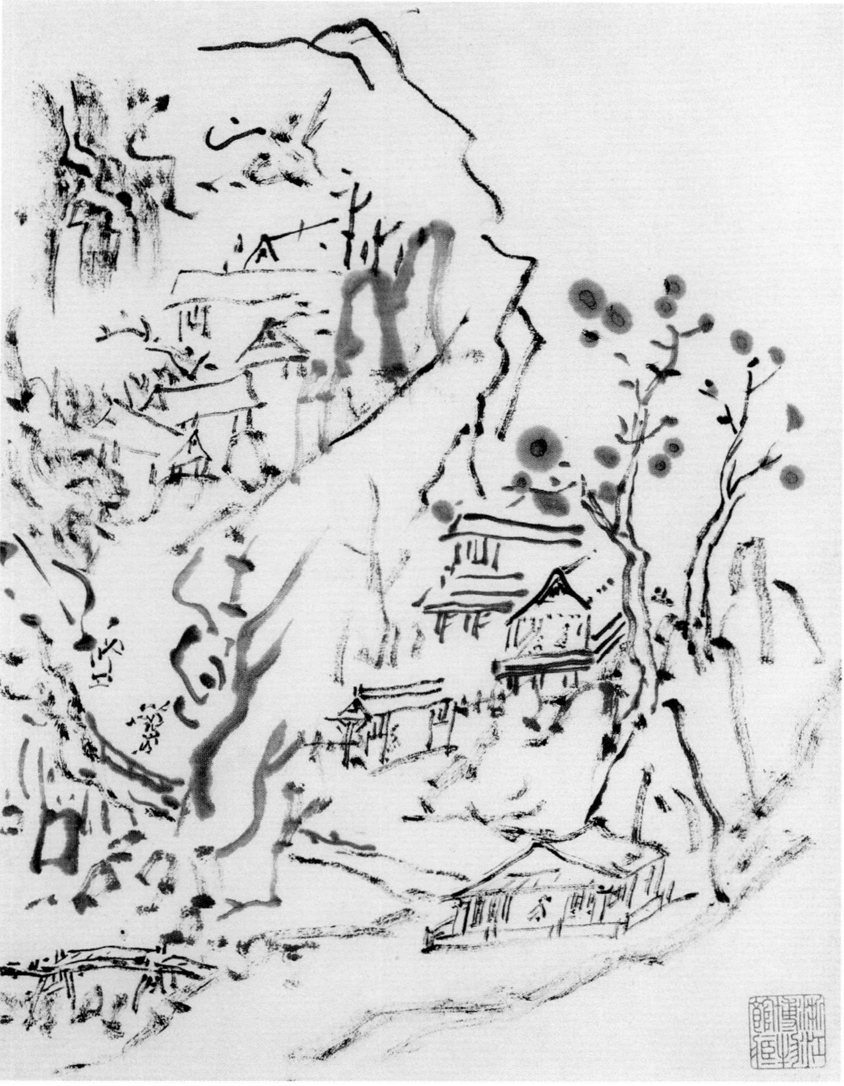

陽朔寫生　四幅

紙本

縱二七·五厘米

橫二〇·五厘米

浙江省博物館藏

之一　題識：陽朔

之二　之三　之四

朝陽洞口　紙本　縱二六·八厘米　橫一七·三厘米　浙江省博物館藏

題識：朝陽洞口　鈐印：黃冰鴻

洞臺朝陽北望　紙本　縱二七・三厘米　橫一七・二厘米　浙江省博物館藏

題識：洞臺朝陽北望　鈐印：黄冰鴻

桂林速寫 六幅 紙本鉛筆 縱一二·七厘米 橫二〇·六厘米 浙江省博物館藏

之一 之二 之三 題識：朝陽洞口南

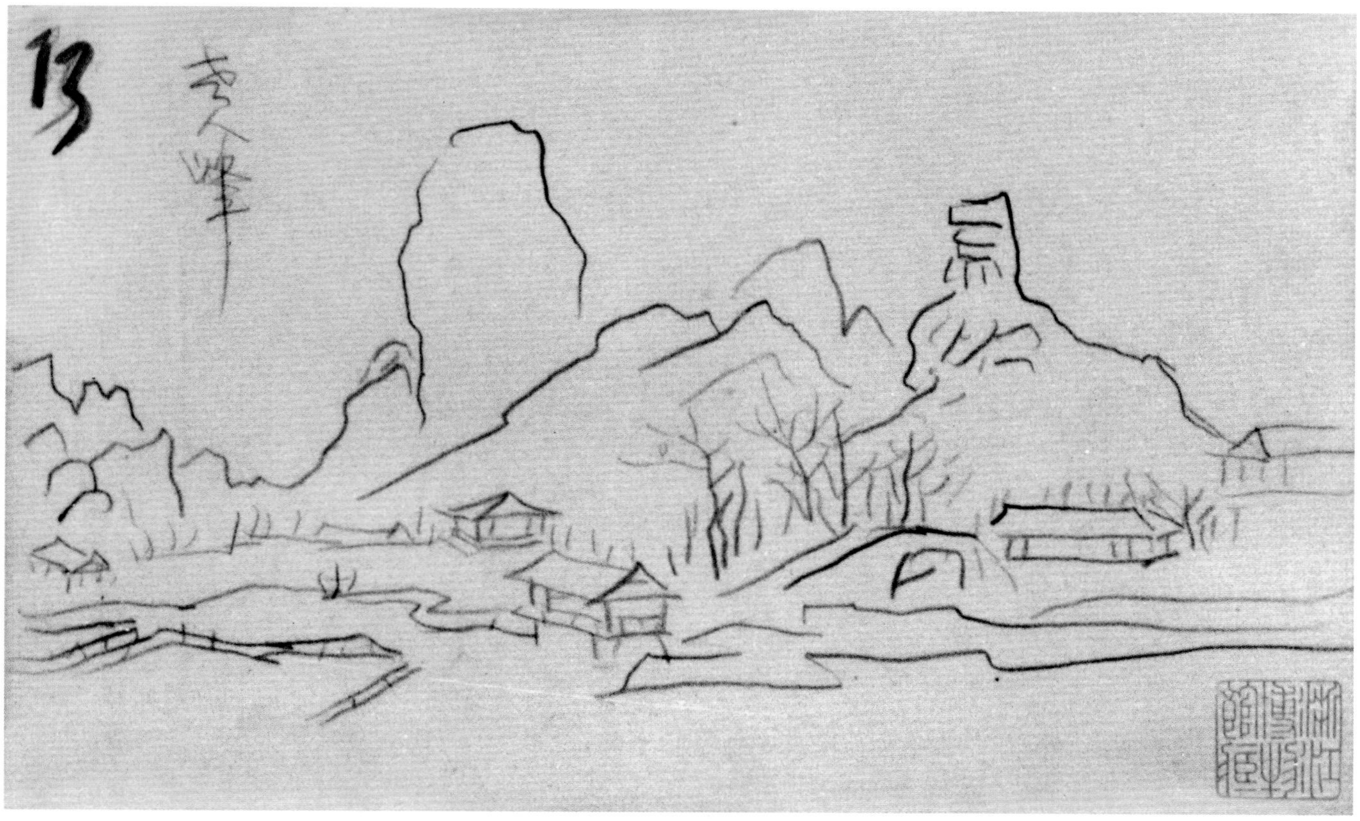

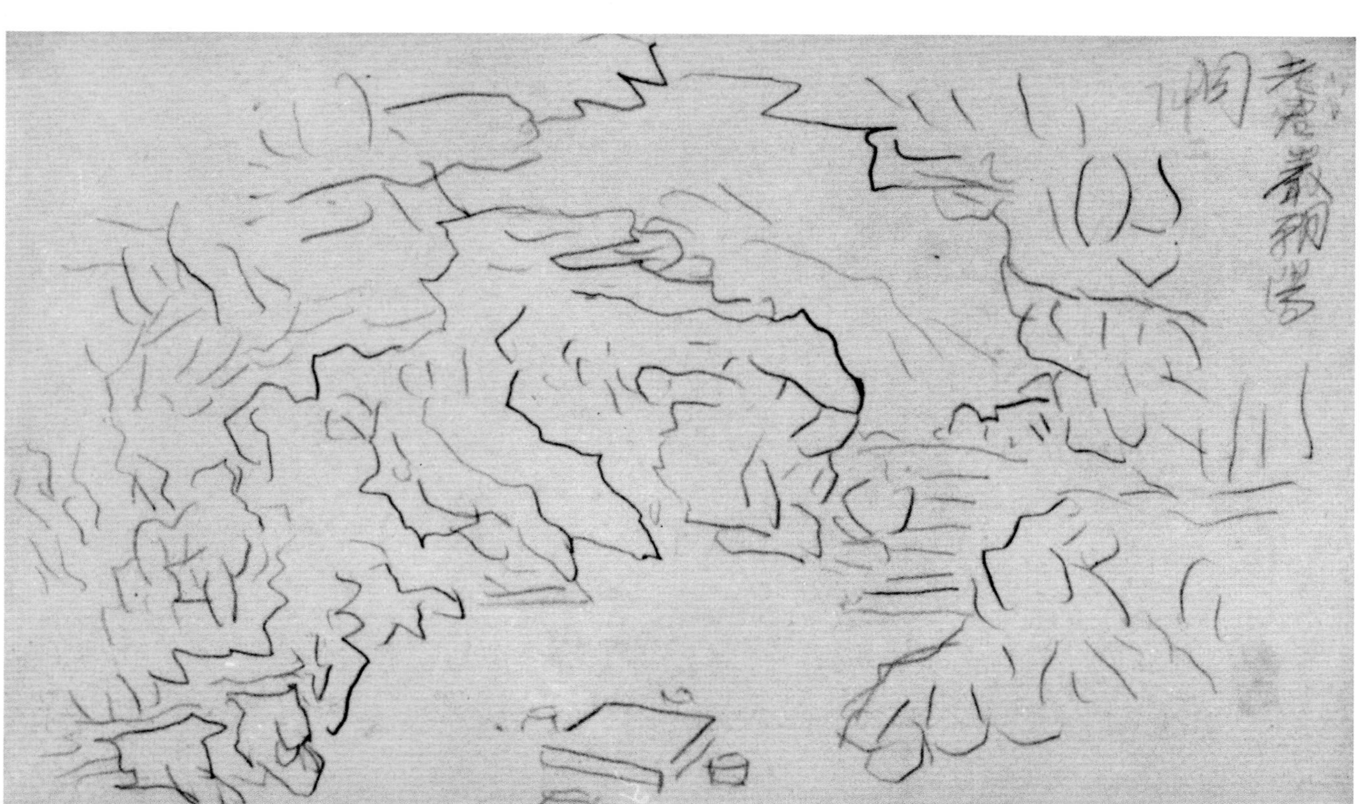

之四　題識：岩岫中居人　之五　題識：老人峰　之六　題識：老君岩朝陽洞

四川速寫 七幅
紙本鉛筆
縱一六厘米
橫二四·七厘米
浙江省博物館藏
之一　之二

之三 之四

題識：右有瀑泉

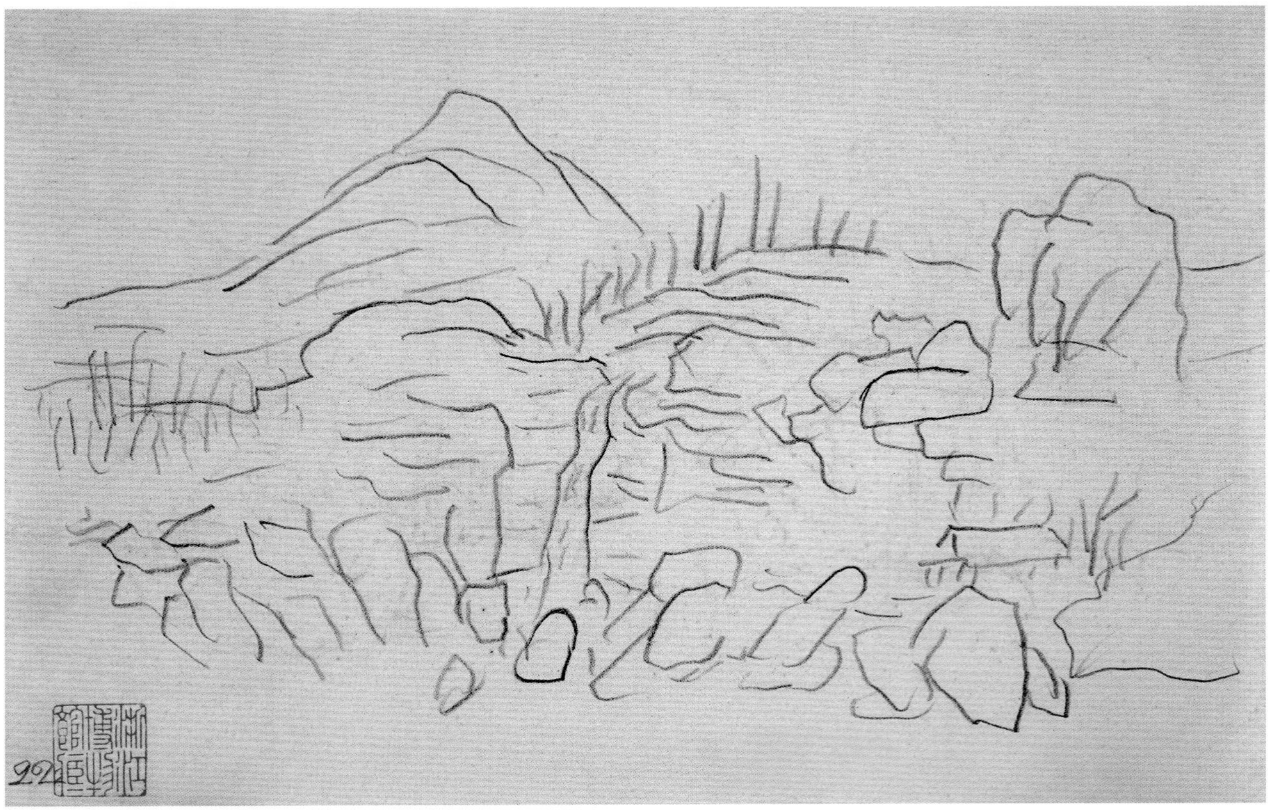

之五　之六　之七　題識：補末2

四川速寫 十三幅

紙本鉛筆 縱一二·七厘米 橫一六·二厘米 浙江省博物館藏

之一 題識：都江 之二 題識：靈岩 抛桐 之三 題識：靈寶泉

之四　題識：灌縣二郎廟　之五　題識：渠化下目溪　之六　題識：靈岩下二里

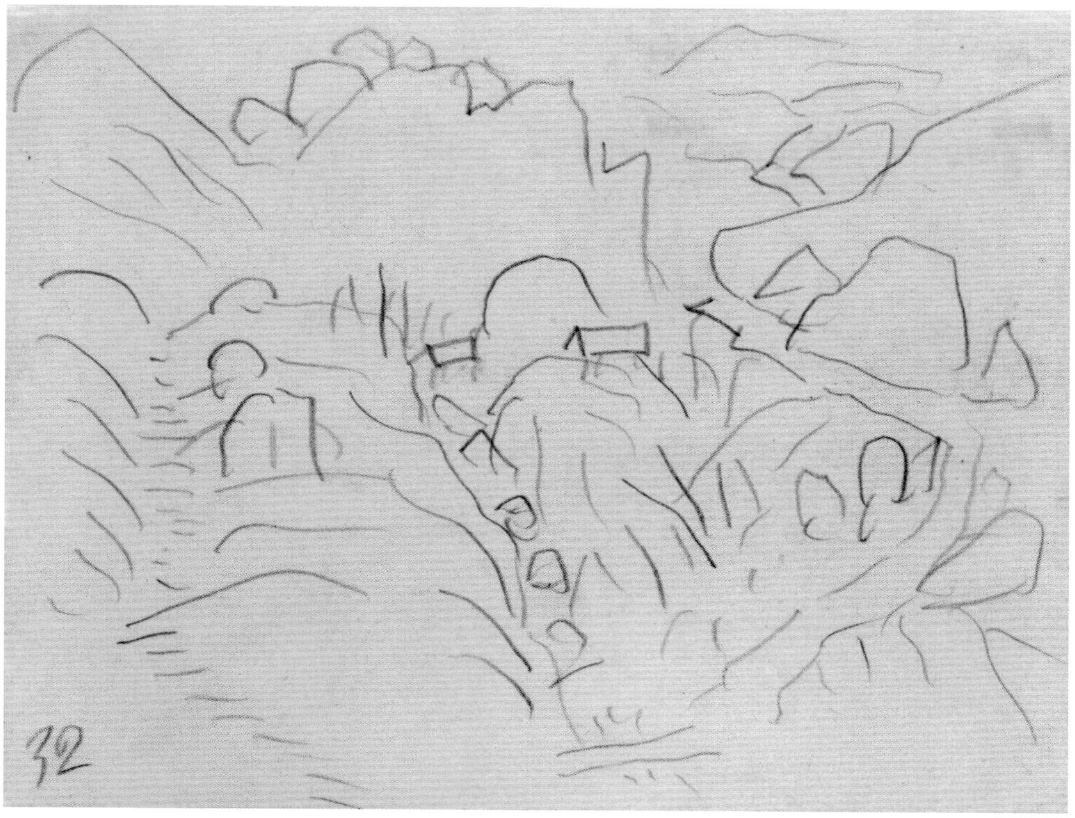

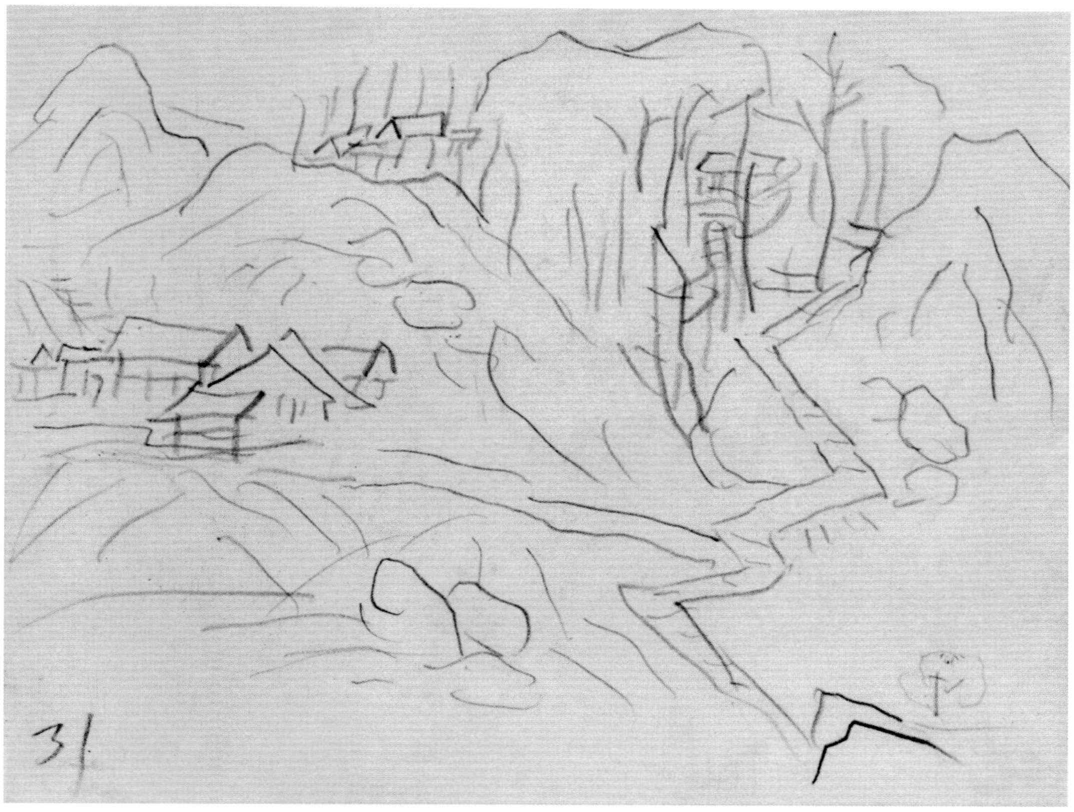

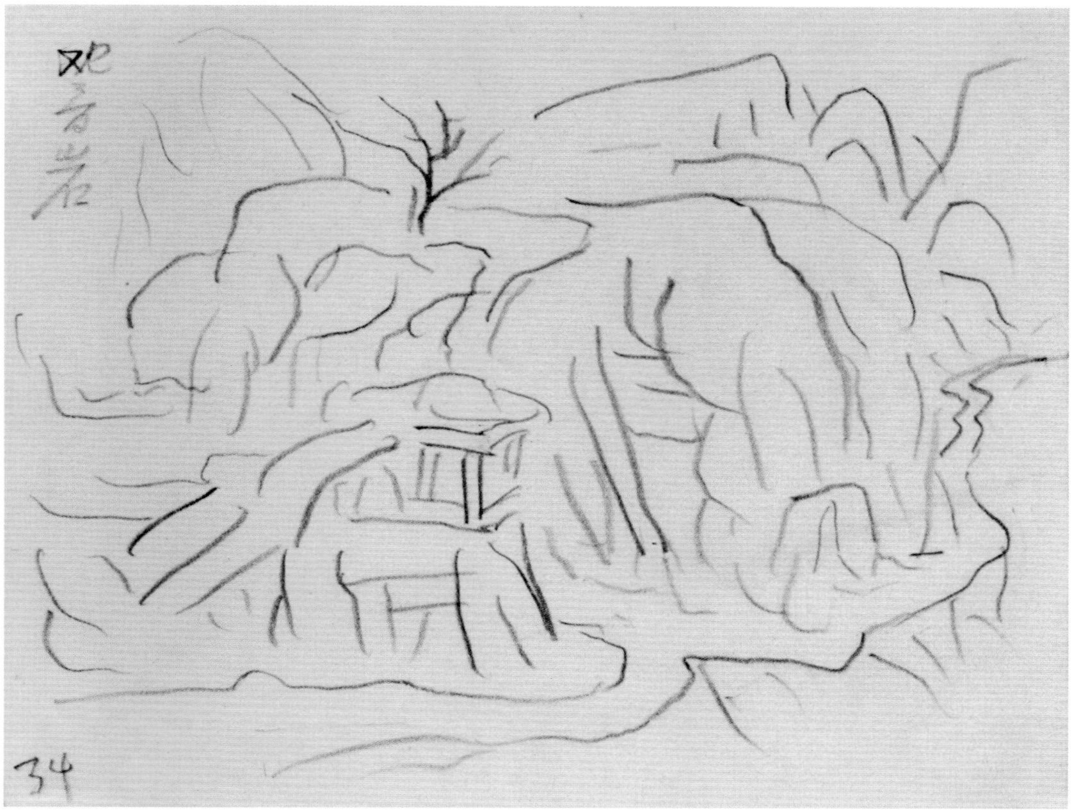

之七　之八　之九　題識：觀音岩

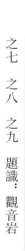

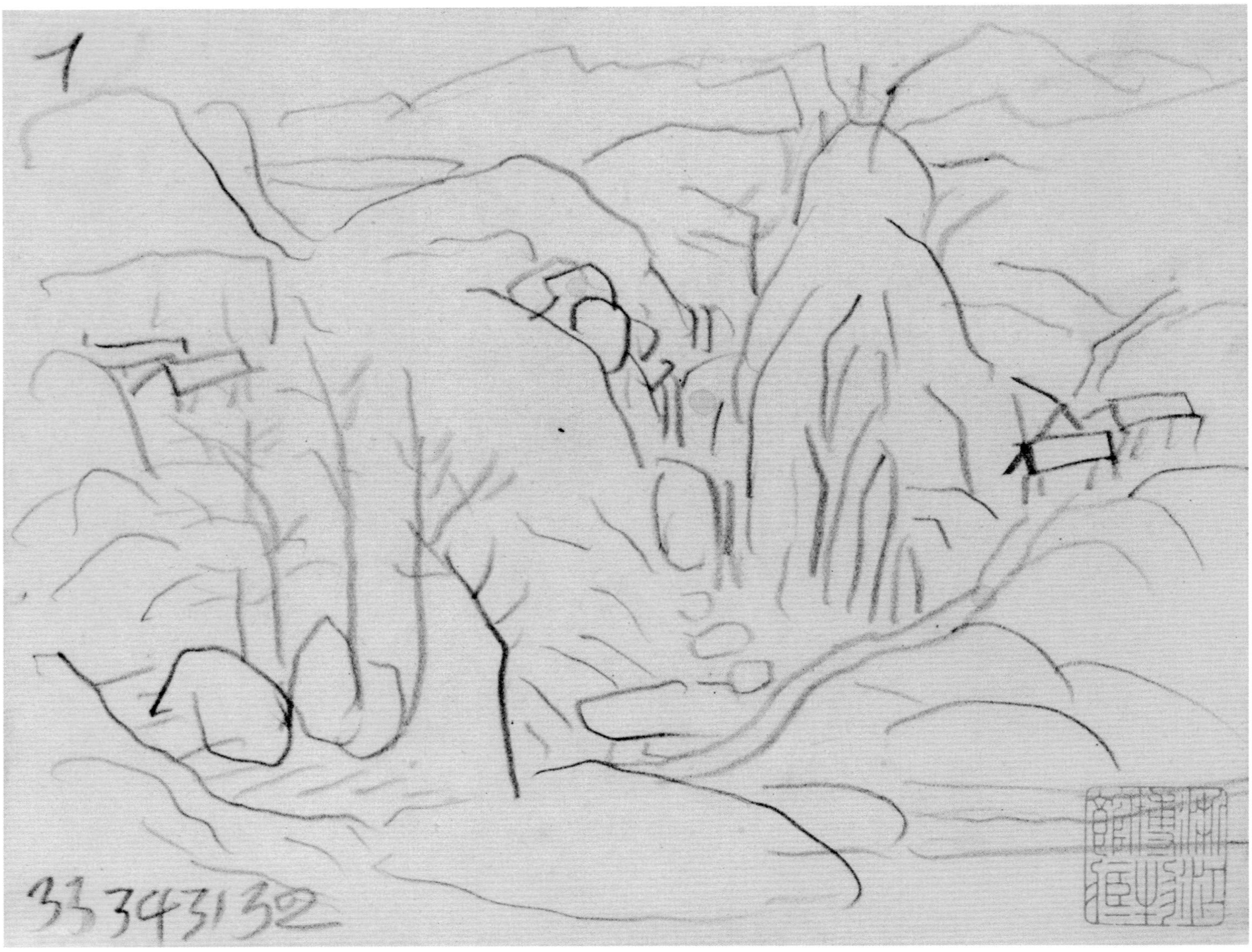

之十 之十一

之十二　題識：大士岩靈寶泉

之十三　題識：青　天然閣

東湖县
東南水
經有白
鹿岩沿
江有峻壁
百餘丈猿
所不能游

41

四川速寫 五十幅
紙本鉛筆
縱一六厘米
橫二四・七厘米
浙江省博物館藏
之一
題識：
東湖縣東南水
經有白鹿岩
沿江有峻壁百餘丈
猿所不能游
之二

之三
題識：南坨
與下不同
在羊善壩對岸
之四

之五　題識：
巫山縣隔江南陵
山極高大　有路
如綫　盤屈至絶頂
謂之一百八盤
蓋施州正路

之六　題識：
巫峽口望石門
關僅通一人行
天下至險也
舊有白雲亭

之七　題識：
魚復浦在奉節縣
東南二里
虎鬚灘在奉節東
杜甫詩云
瞿塘漫天虎鬚怒
之八　題識：
三溜灘在東湖縣
西十里　三□渣波
紅石無義皆險灘

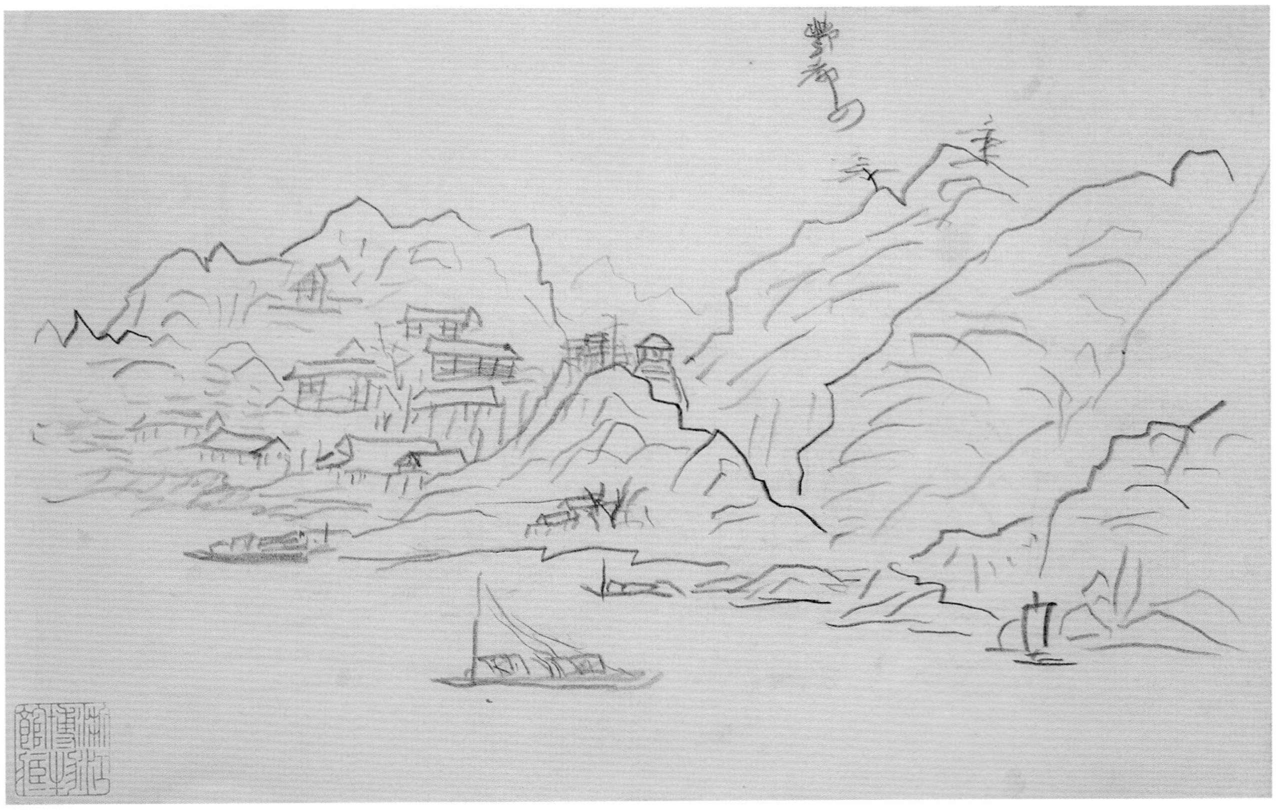

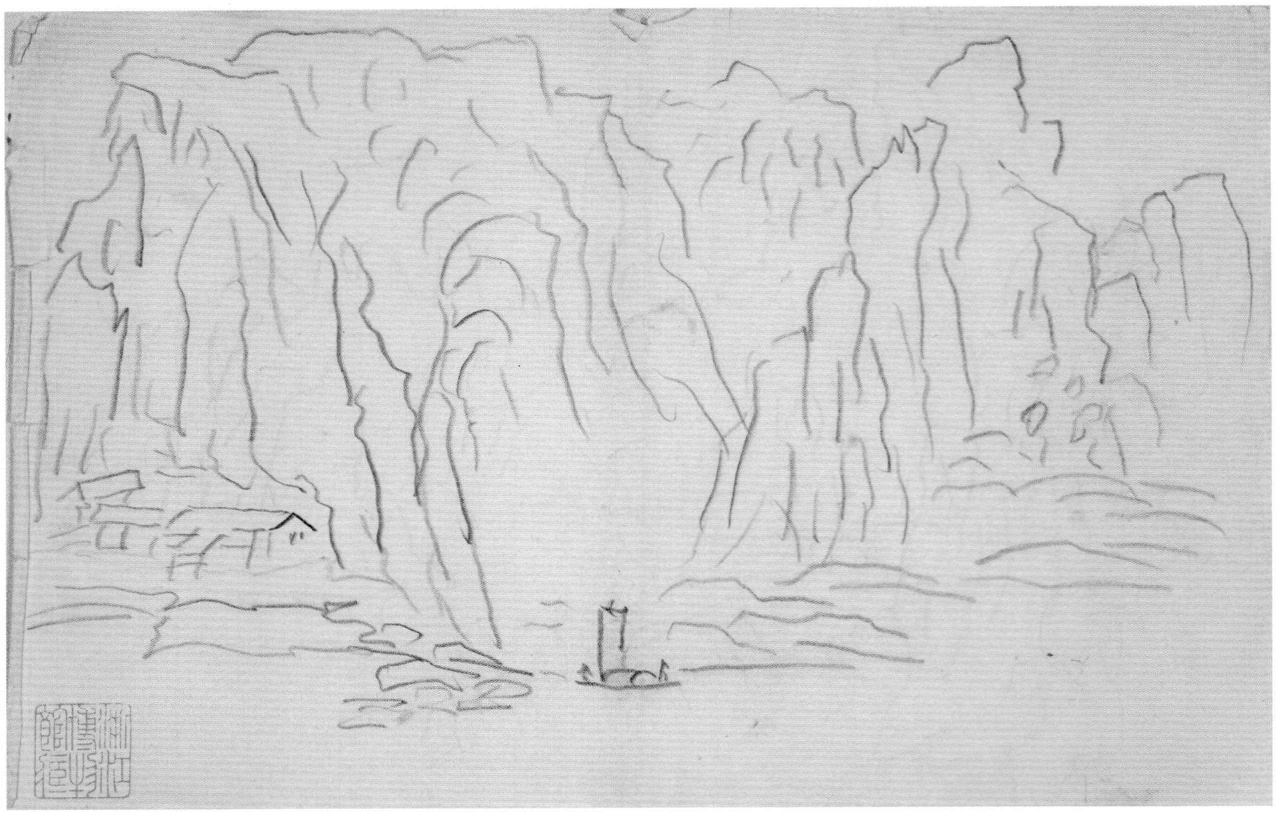

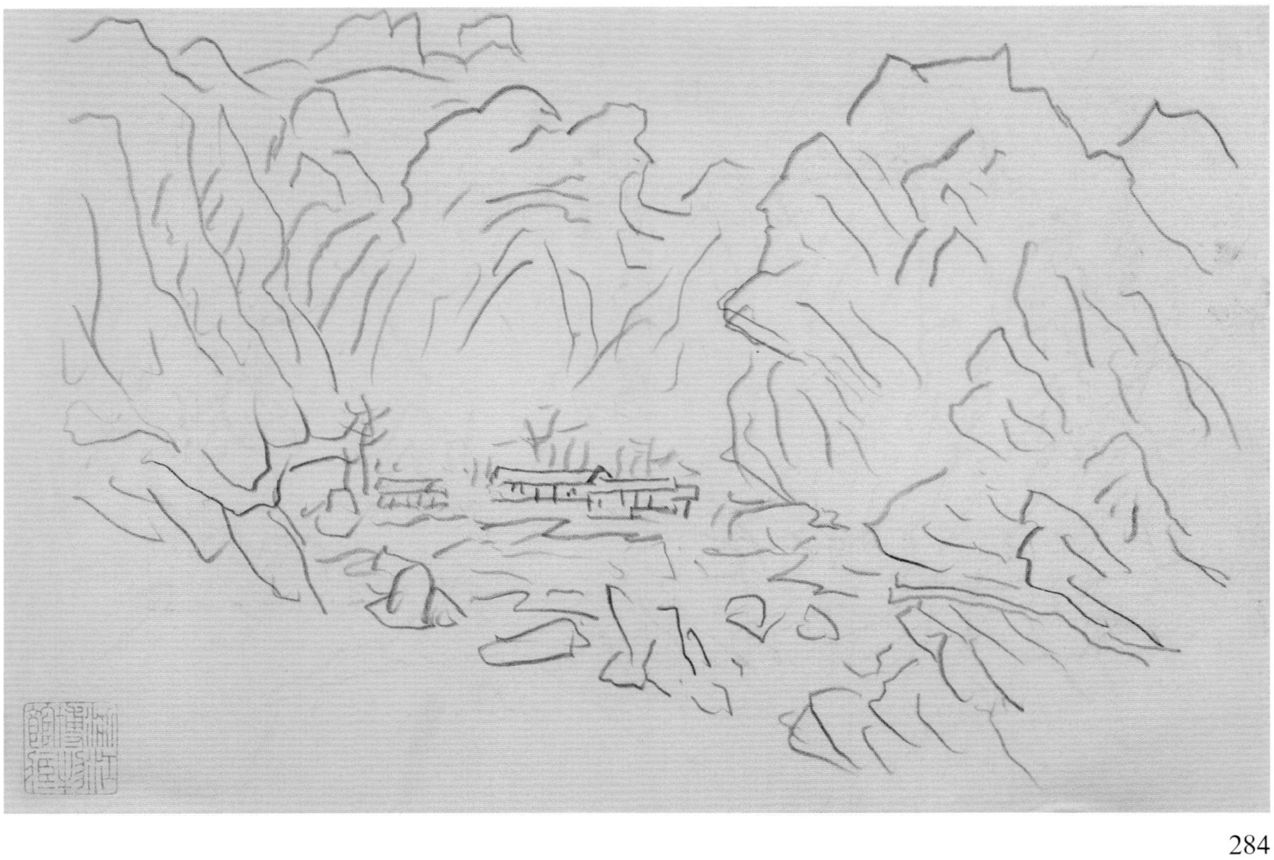

之九　題識：酆都四　之十　之十一

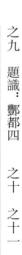

之十二　之十三　題識：卧龍山　奉節縣東北五里　上有諸葛武侯祠　之十四

之十五　之十六　之十七　題識：啞吧灘

之十八　之十九　之二十

之二十一　之二十二　之二十三

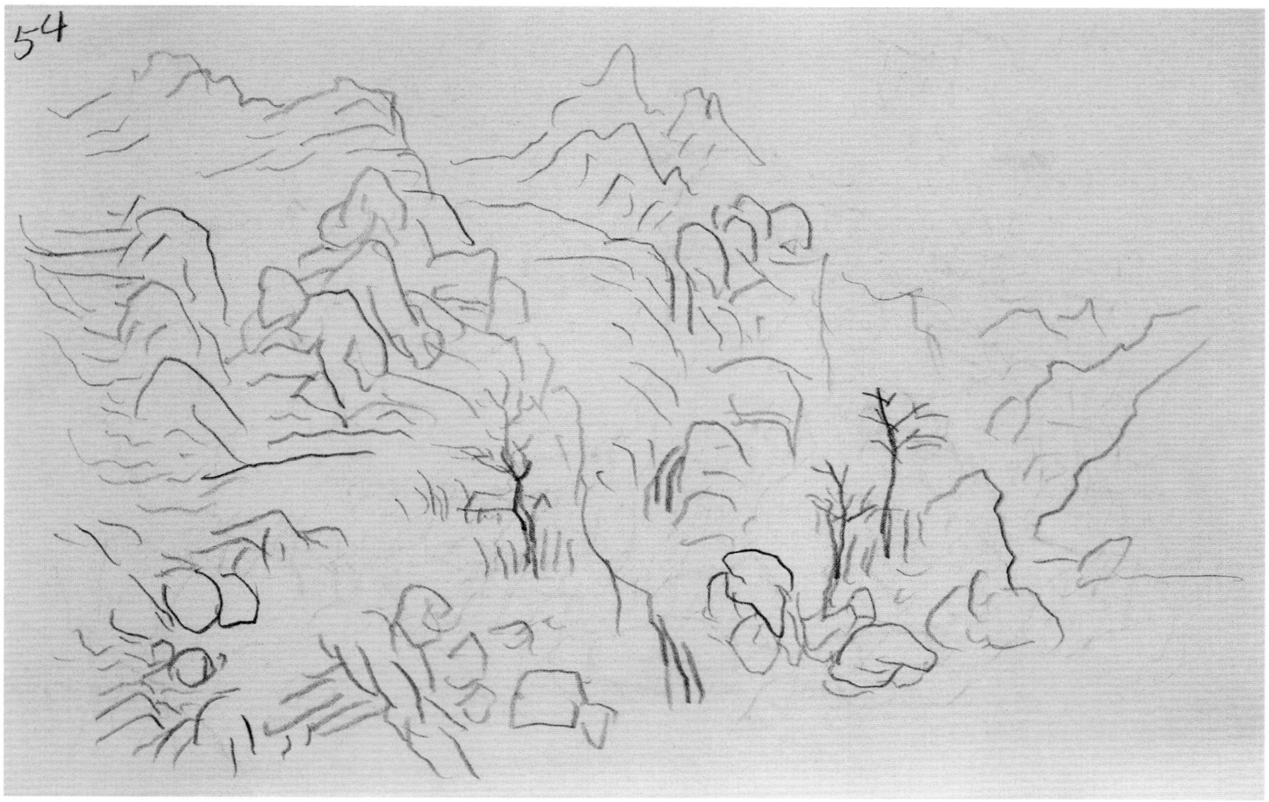

之二十四　之二十五　之二十六

之二十七　之二十八　題識：安坪　之二十九

之三十　之三十一　之三十二

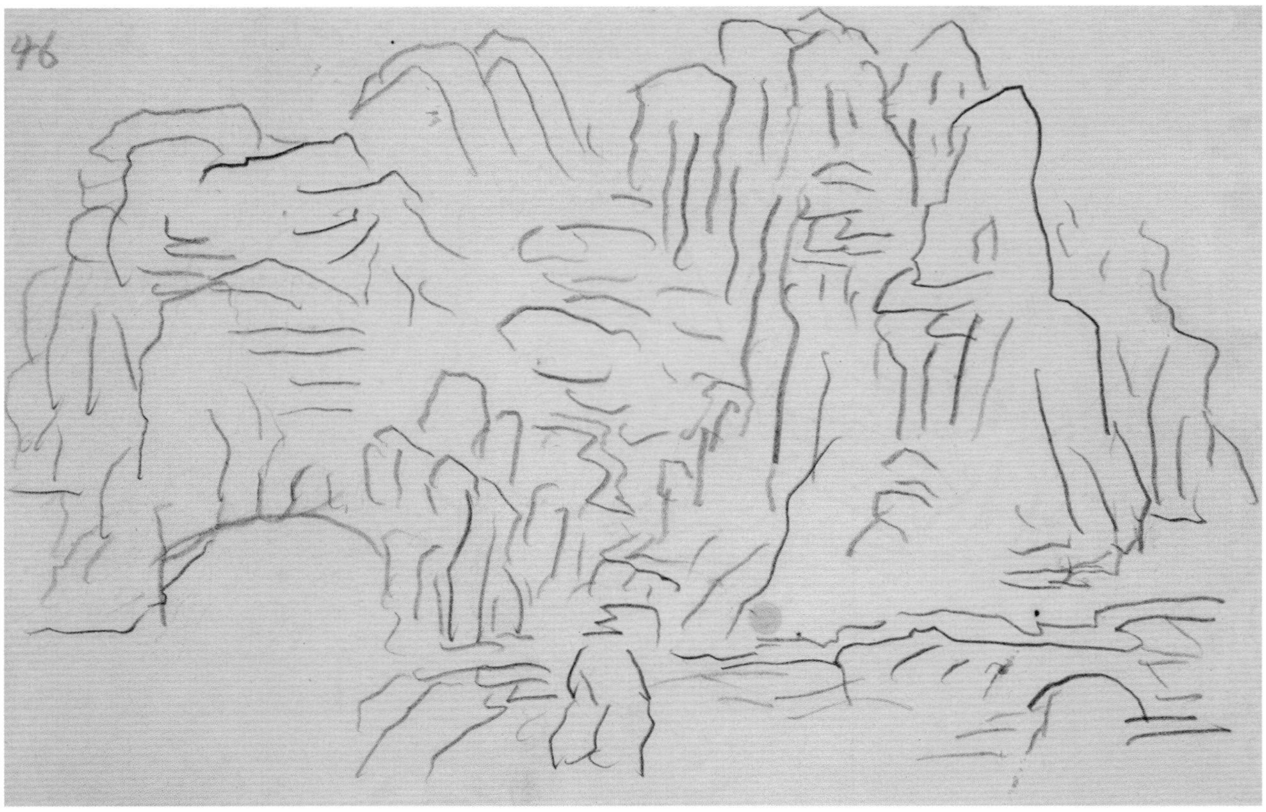

之三十三　之三十四　之三十五

之三十六　之三十七　之三十八

之三十九　之四十　題識：狐灘　　之四十一　題識：雲陽

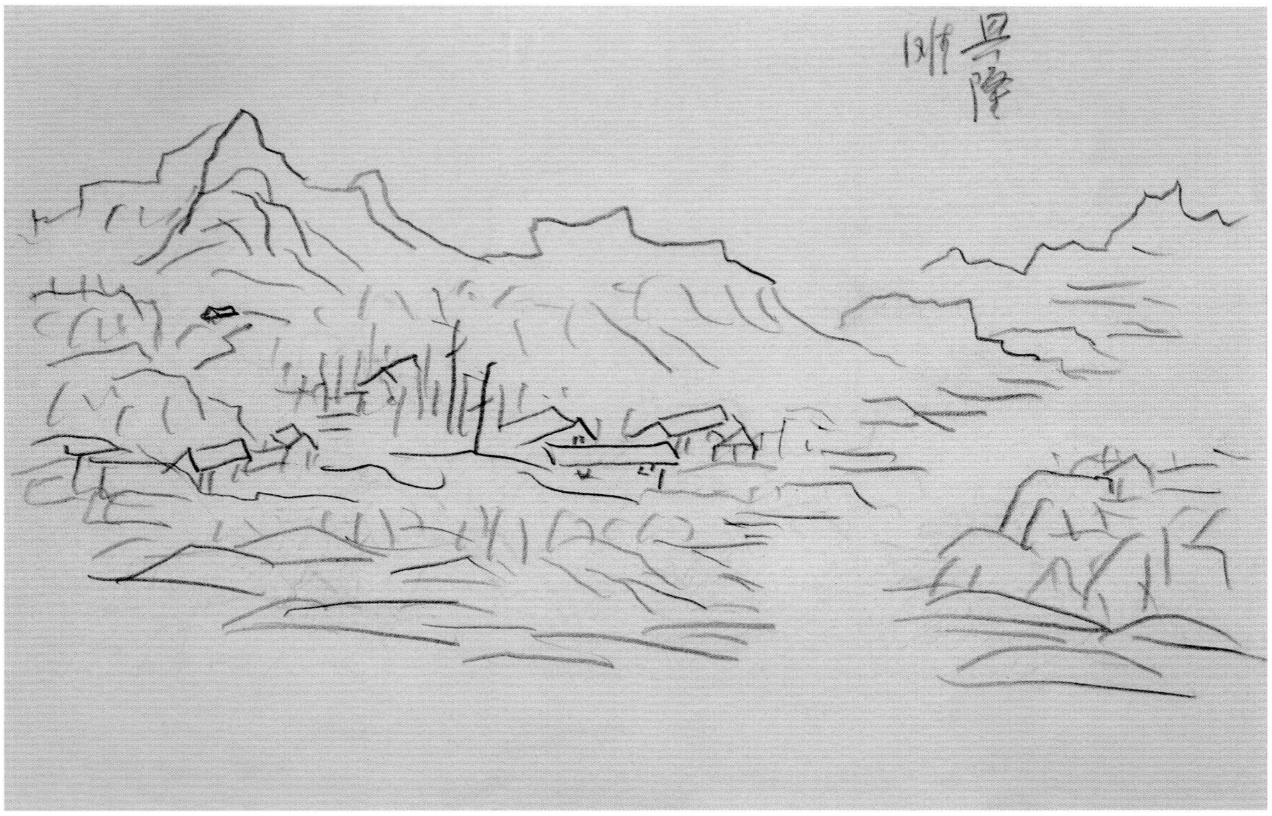

之四十二　題識：高家鎮　之四十三　之四十四　題識：具隆灘

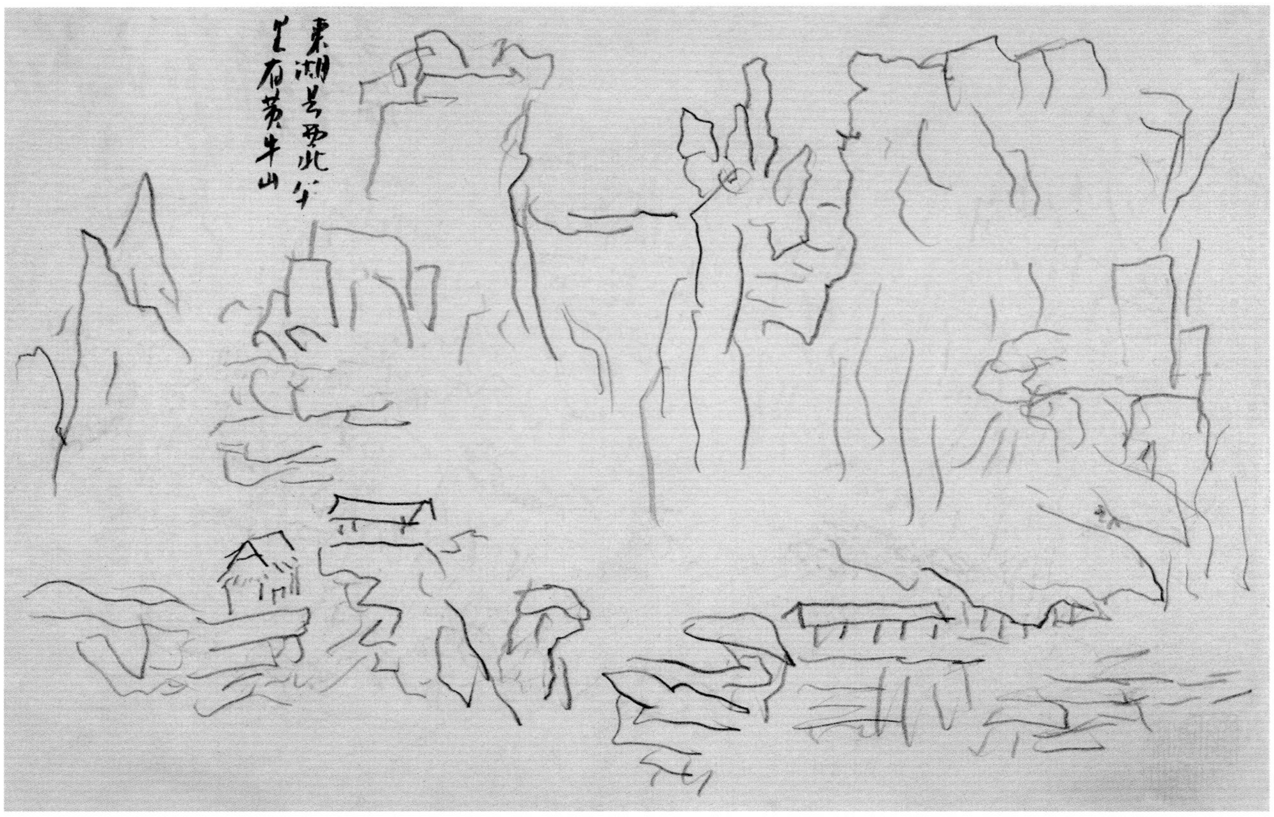

之四十五　題識：三斗坪　山間雲氣曉發　之四十六　之四十七　題識：東湖縣西北八十里有黃牛山

之四十八　題識：宋玉宅在歸州東二里

之四十九　題識：酆都

之五十　題識：青灘口歸州之上

山水寫生　四幅　紙本　縱二二·五厘米　橫二二厘米　浙江省博物館藏

之一　鈐印：黃賓虹　之二　題識：希夷峽　鈐印：黃賓虹

之三　題識：青柯坪　鈐印：黃賓虹　之四　鈐印：黃賓虹

青城寫生 四幅

紙本

縱三〇厘米 橫四五厘米

浙江省博物館藏

之一

題識：天然閣在怡樂窩前

之二

題識：遠望第一峰

之三
題識：上清宫
天下第五名山
之四
題識：壯觀臺

山水寫生　三幅

紙本　縱二九·五厘米　橫四五厘米　浙江省博物館藏

之一　題識：觀音岩

之二　題識：索橋

之三　題識：疊玉宮

索橋

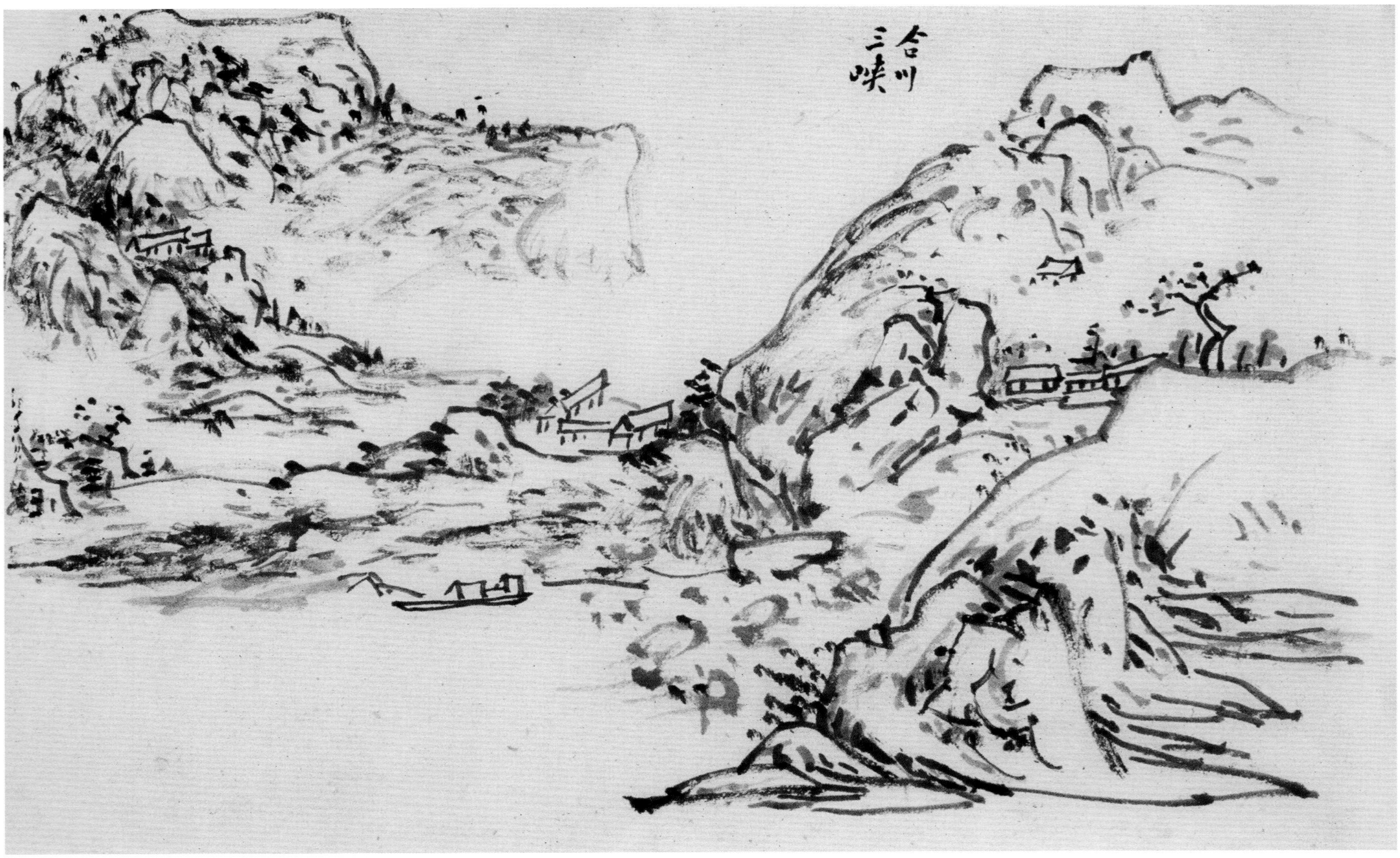

蜀合川寫生 兩幅

紙本 縱三〇厘米 橫四五厘米 浙江省博物館藏

之一 題識：合川三峽

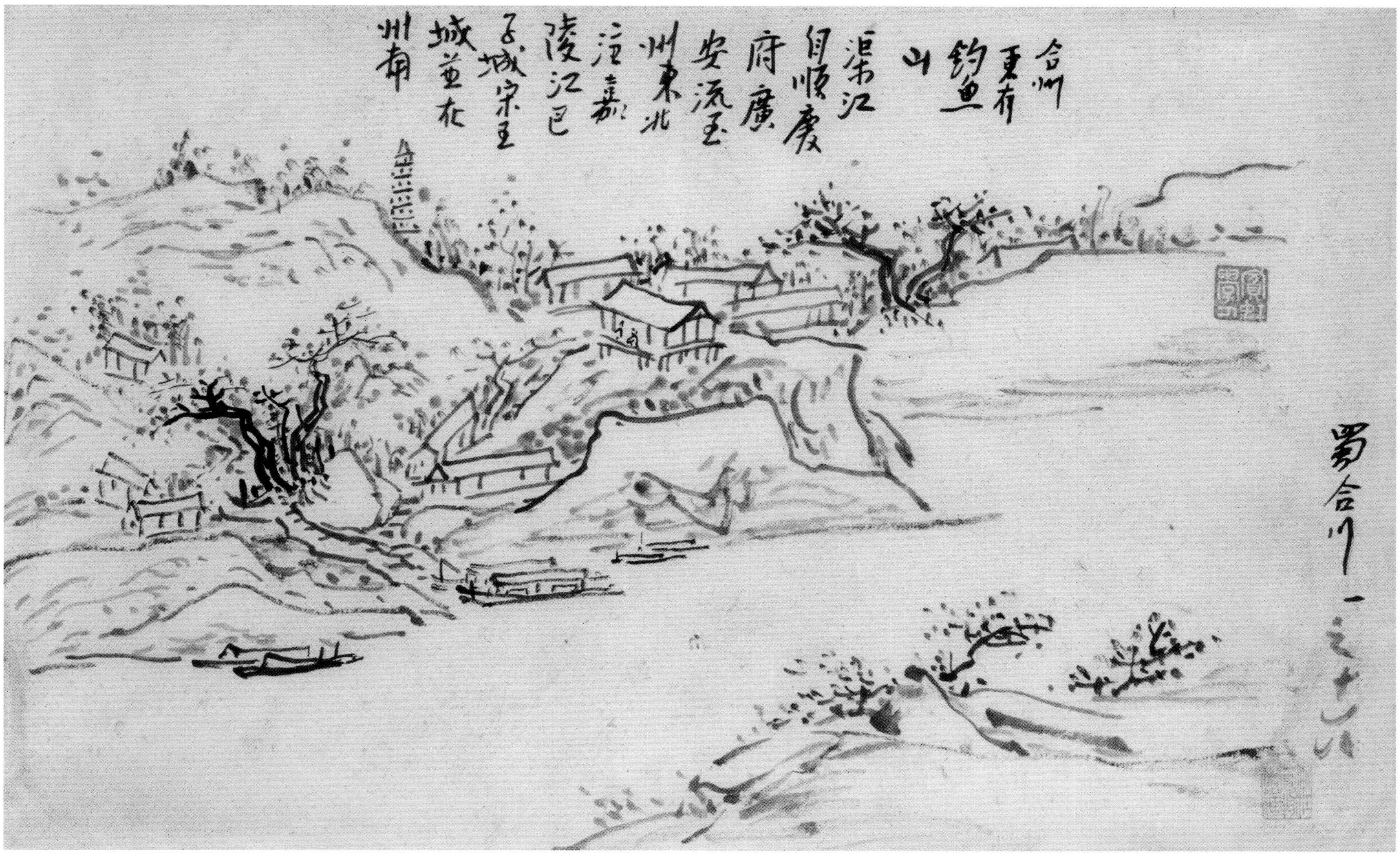

之二　題識：蜀合川

合川東有釣魚山　渠江自順慶府廣安流至州東北注嘉陵江　巴子城　宋王城　并在州南

牛石寫生 紙本

縱二九·五厘米 橫二五·五厘米

浙江省博物館藏

題識：牛石

厚明灘寫生 紙本

縱三〇厘米 橫二七厘米

浙江省博物館藏

題識：厚明灘

涿州
永濟
橋跨
巨馬
河

齊山華
蓋洞外
一石

山水寫生　四幅

紙本

縱一四厘米

橫一九厘米

私人藏

之一　永濟橋

題識：涿州永濟橋

跨巨馬河

鈐印：賓祺

之二　奇石

題識：齊山華蓋洞

外一石

鈐印：賓祺　賓虹

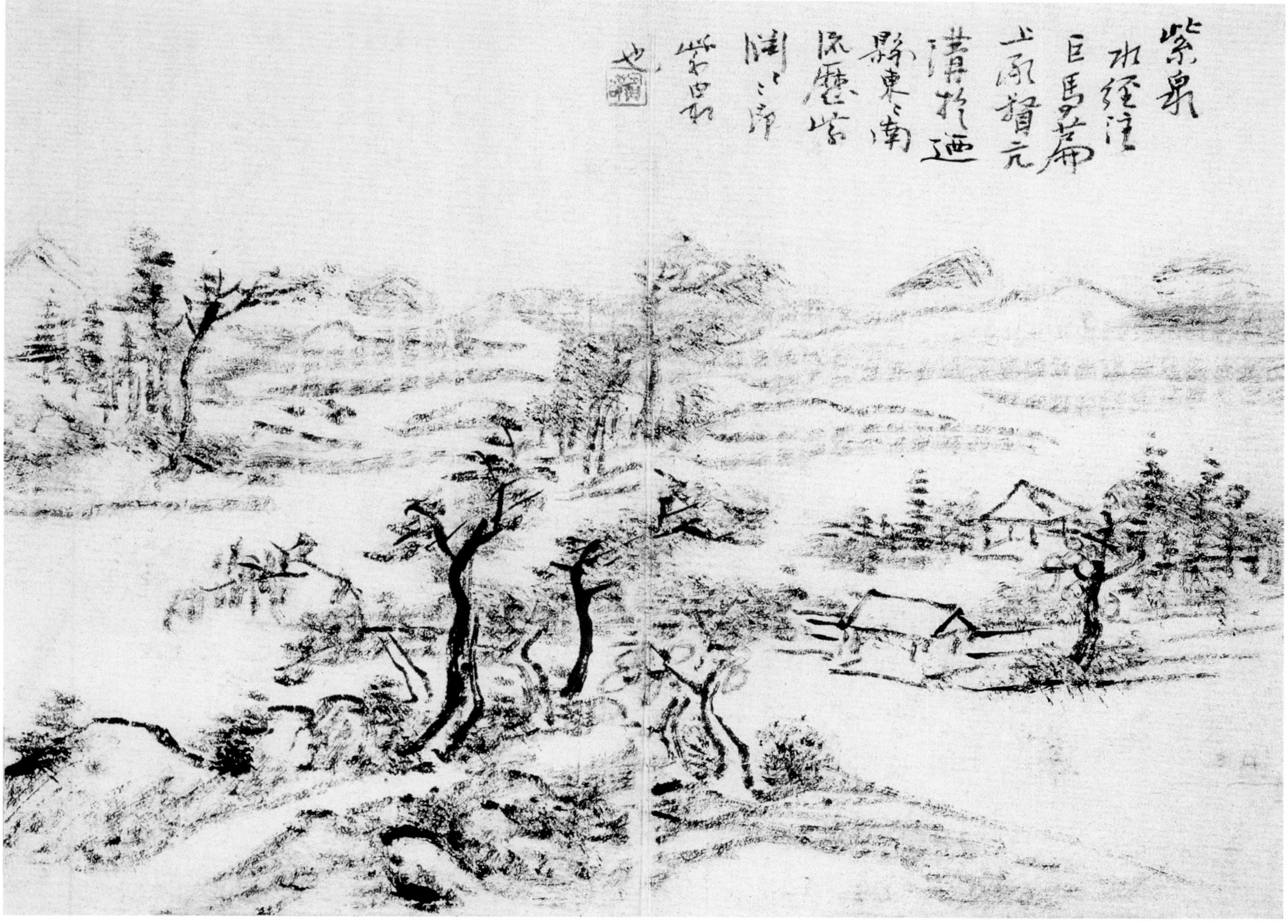

之三　絳河

題識：絳河

漢書地理志

禹貢絳水在信都

鈐印：賓錤　賓虹

之四　紫泉

題識：紫泉

水經注巨馬篇

上承督亢溝于迺縣東

東南流歷紫淵

紫淵即紫泉也

鈐印：賓錤

山水寫生 紙本 縱二七·五厘米 橫三七厘米 浙江省博物館藏

衡州寫生　紙本　縱三〇厘米　橫四五厘米　浙江省博物館藏

題識：衡州舊府

左最高者爲迴雁峰　岣嶁在其右　石鼓書院臨江邊　連青草橋

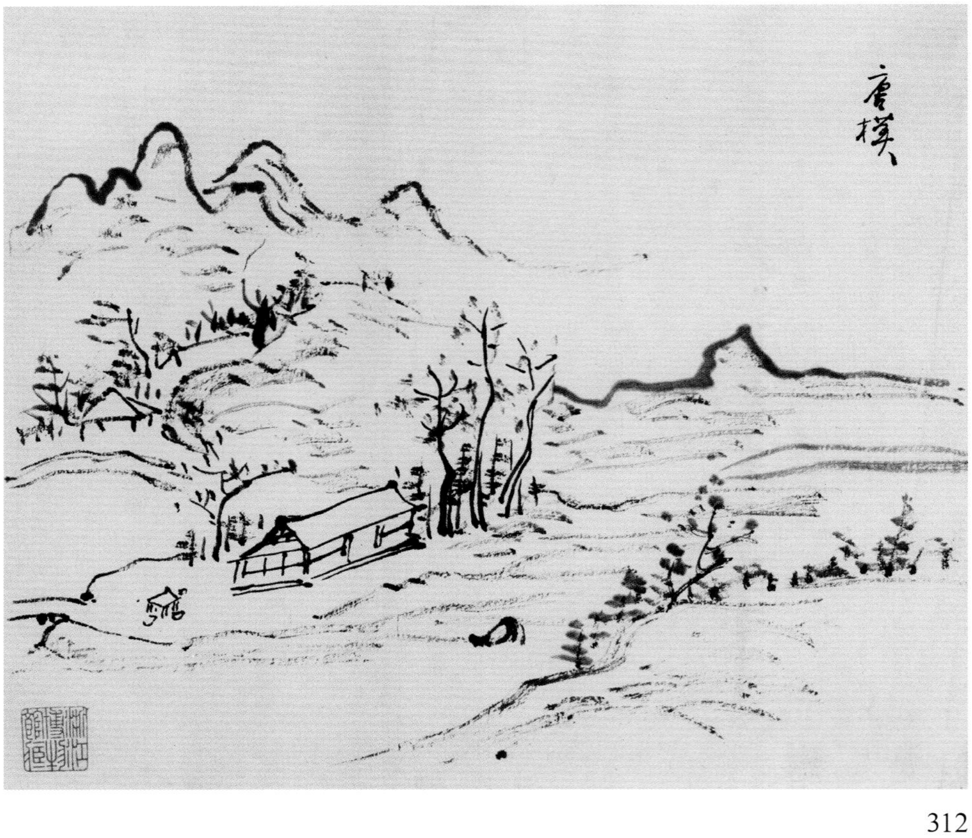

山水寫生 六幅 紙本 縱二三·五厘米 橫二七·五厘米 浙江省博物館藏

之一 題識：白鹿升仙臺 有明祖周顛仙碑 鈐印：黃賓虹

之二 題識：百尺峽 之三 題識：唐模

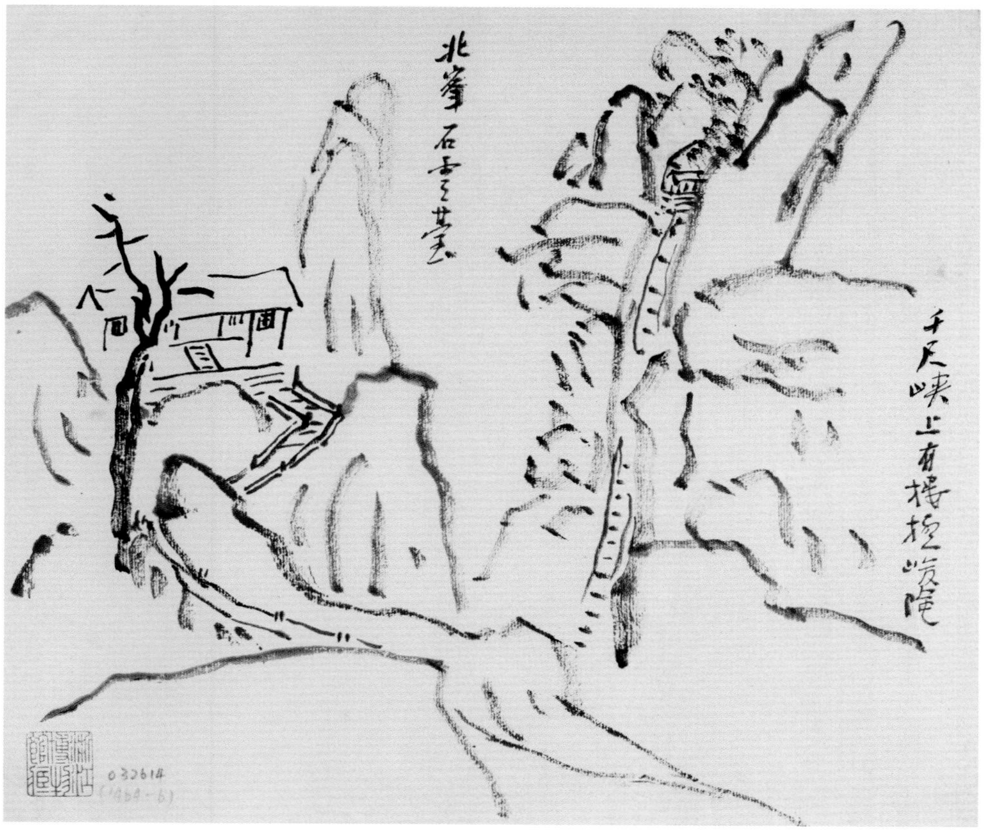

之四　題識：千尺峽上有樓　極峻險　北峰石雲臺

之五　題識：天橋　鈐印：黃賓公

之六　題識：牯嶺　鈐印：黃賓公

山水寫生 九幅 紙本 縱三六·五厘米 橫二六厘米 私人藏

之一 題識：石公山

石㛅㛅巨石二坡 可坐千人 仰望劍樓 高百餘尺 名觀雲梯

洞二 曰夕光 曰歸雲 鈐印：黃賓虹

之二 題識：天柱峰

建昌東南境多山 天柱峰爲最高 北有飛鼇間石臺夾其中

岩從雲臺西上 中縫爲一綫天 鈐印：黃賓虹

之三　題識：巫峽

奇峰十二即仙鄉　暮雨朝雲欲斷腸　此夢人間亦常有　但無妙筆賦高唐

鈐印：黃賓虹

之四　題識：包山

漢鮑靚隱居此　或以山勢環抱□　包山中有毛公壇　爲劉根煉藥處

丹井至今猶存　寺前二石幢　唐人書鎸尊勝陀羅尼經

鈐印：黃賓虹

之五　題識：龍渚
大龍渚小龍渚皆在龍山　繞麓多奇石　冬日水涸則山根全露
嵌空玲瓏如千葉蓮花　高者如猙獅猛象列陣而鬥　萬波湖波
朝衝夕激　蓋經千萬年之洗刷矣　鈐印：黃賓虹

之六　題識：沙田　鈐印：黃賓虹

之七　題識：泰山西望　鈐印：黄賓虹

之八　題識：泰山北面　鈐印：黄賓虹

之九　題識：泰山之北　鈐印：黄賓虹

岱宗秋霽　紙本　縱四二厘米　橫二四厘米　浙江省博物館藏

題識：岱宗秋霽　矼叟

山水寫生 兩幅 紙本 縱二八・八厘米 橫一九厘米 浙江省博物館藏

之一

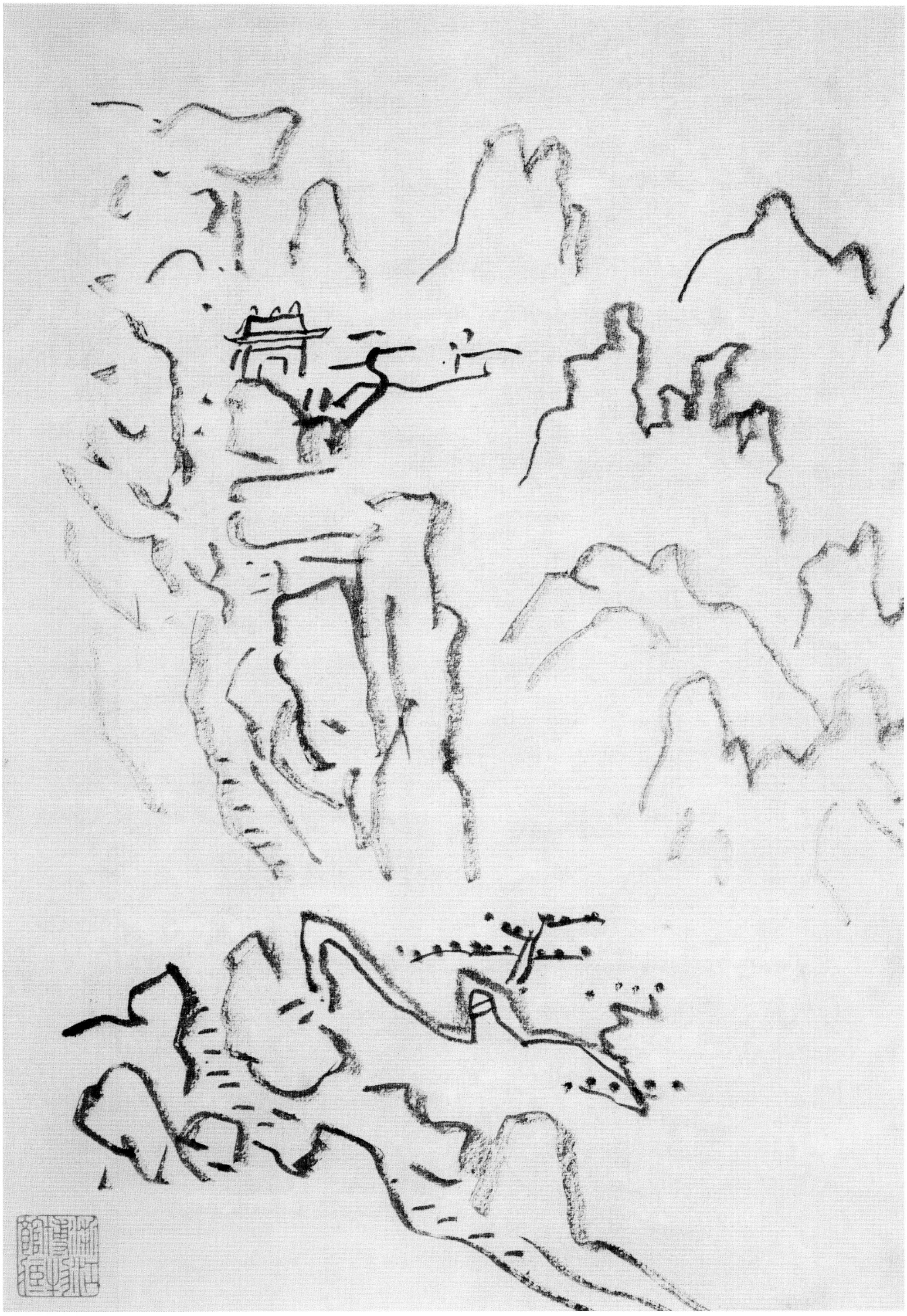

之二

山水寫生 三幅

紙本

縱二九厘米 橫二二厘米

浙江省博物館藏

之一

之二　題識：九灘

之三

南薰亭 紙本

縱二七·五厘米 橫一七·五厘米

浙江省博物館藏

題識：南薰亭

三疊泉 紙本 縱二三·五厘米 橫二七厘米 浙江省博物館藏

題識：三疊泉 鈐印：黄賓公

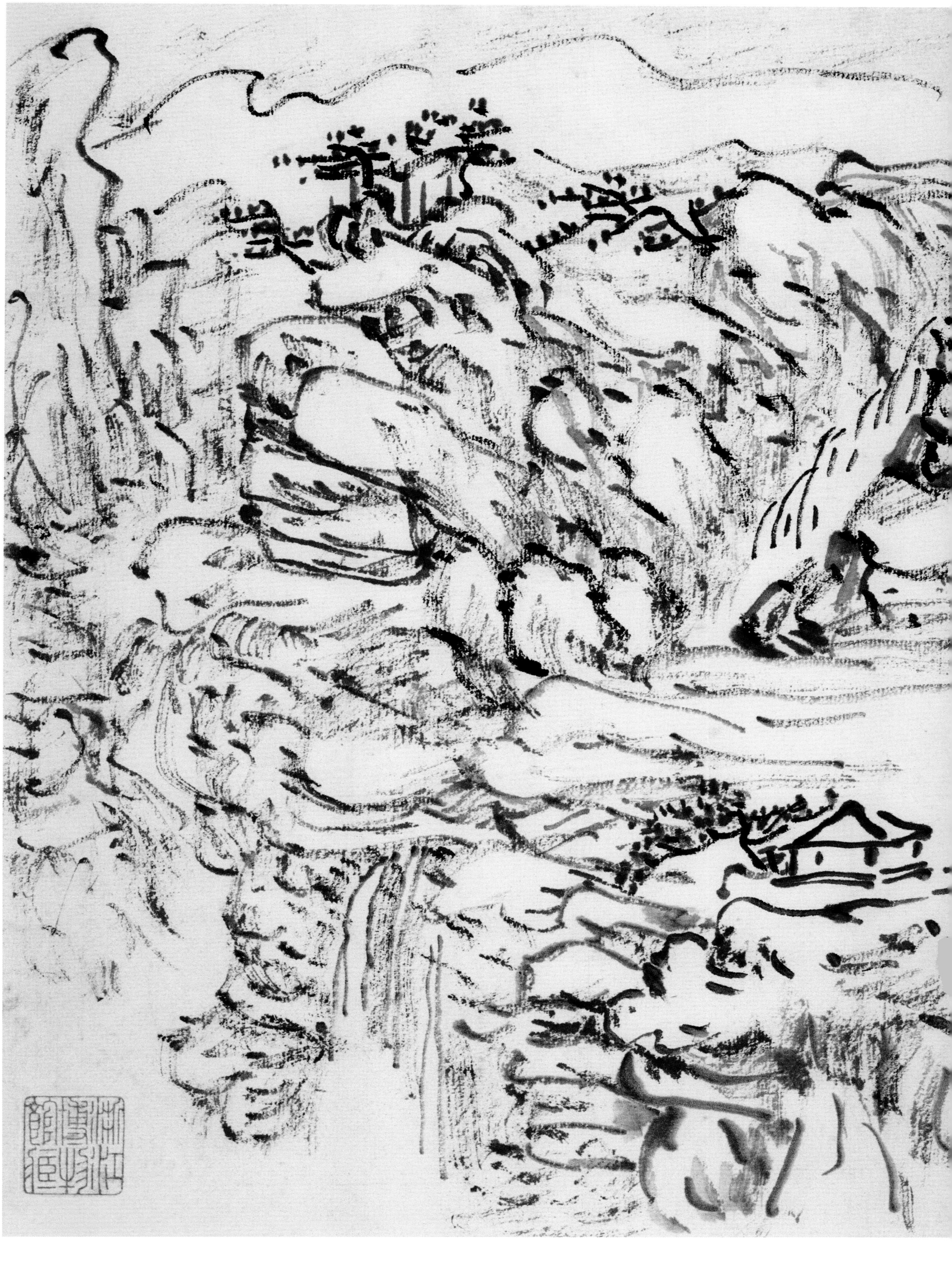

披雲峰　紙本　縱二三厘米　橫二七·五厘米　浙江省博物館藏

題識：披雲峰

山水寫生　紙本　縱二三·五厘米　橫二七·五厘米　私人藏

題識：娑蘿樹在黃龍寺前　傳晉僧睿詵西域來　虹　鈐印：黃賓公

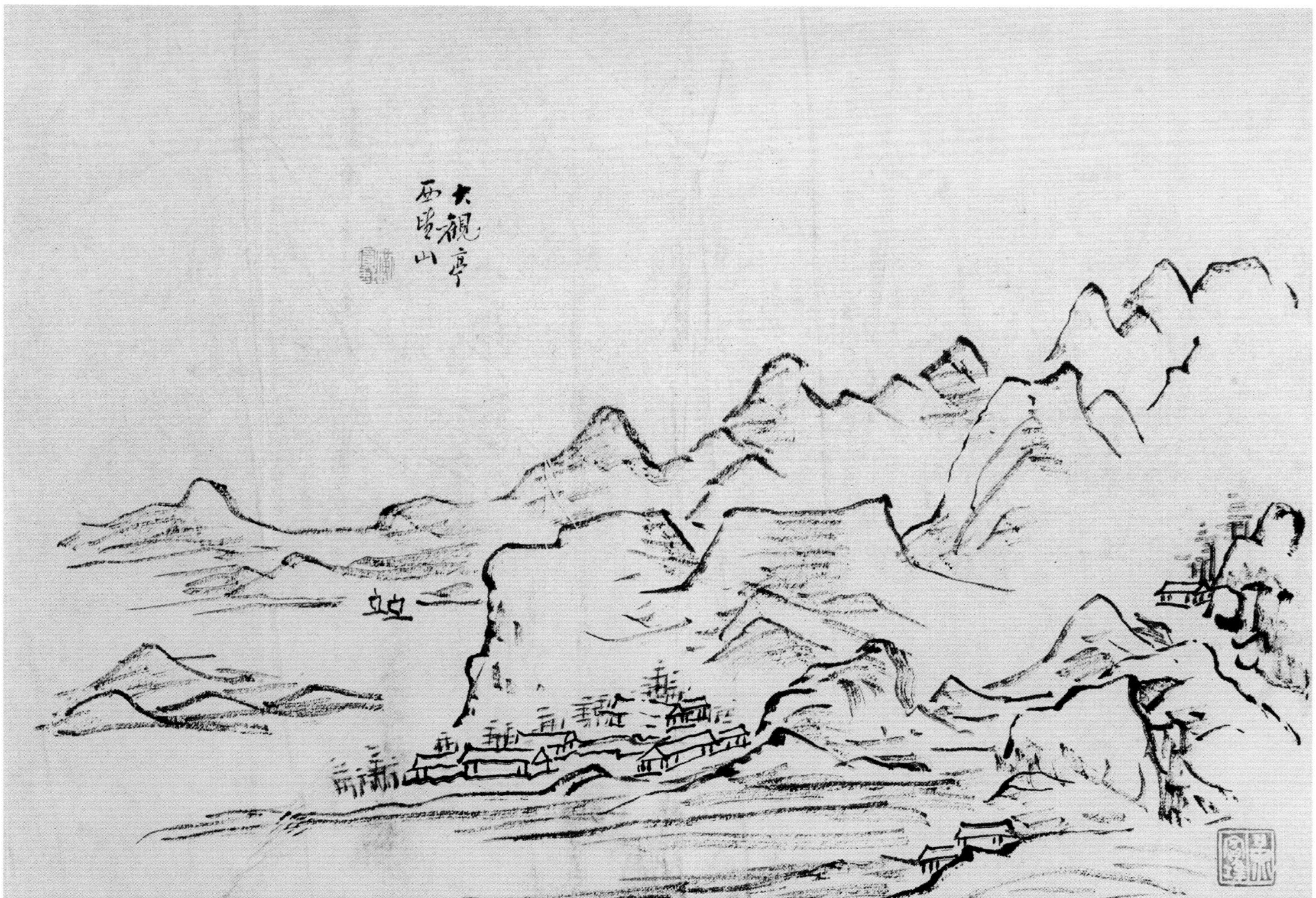

山水寫生 兩幅 紙本 縱二六厘米 橫三八厘米 私人藏

之一 題識：望仙亭 鈐印：黃賓虹 黃賓鴻

之二 題識：大觀亭西望山 鈐印：黃賓虹 黃賓鴻

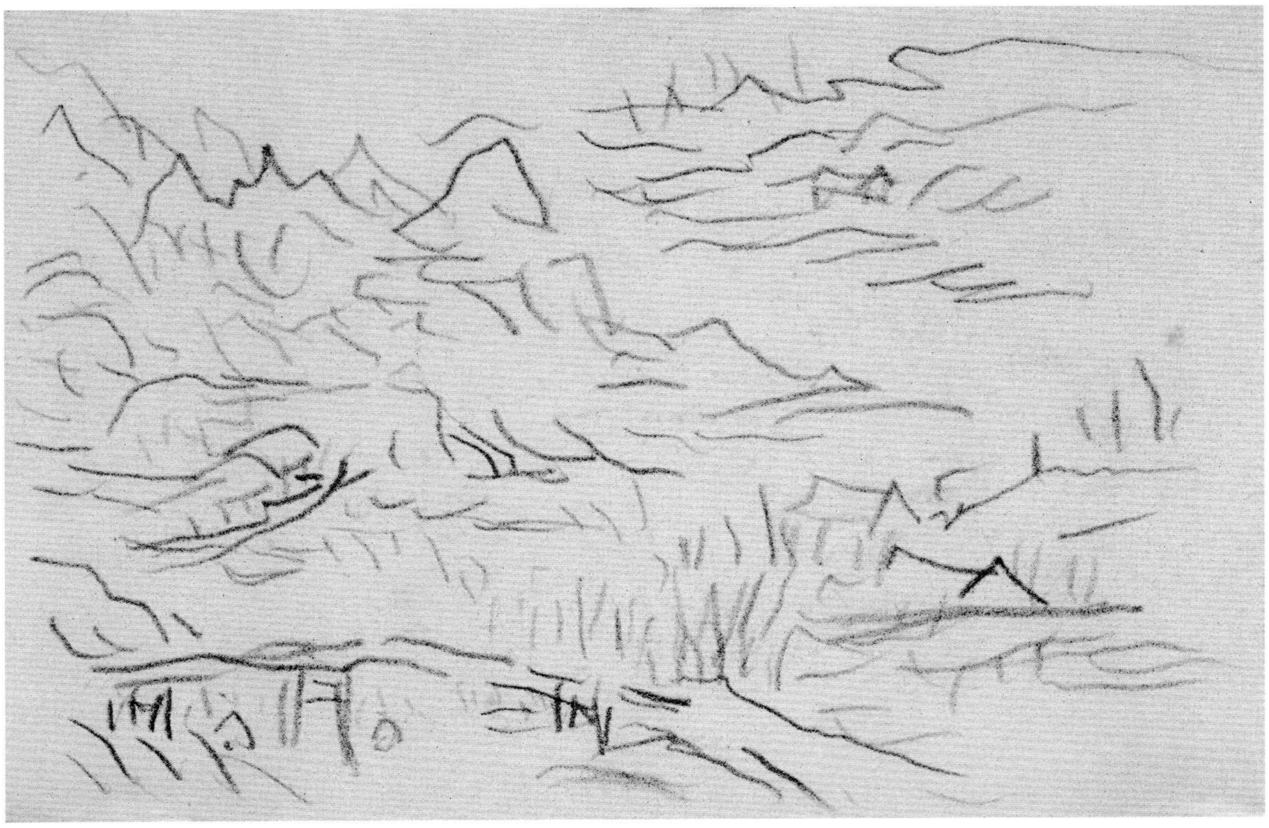

浙江速寫 十二幅 紙本鉛筆 縱一三厘米 橫一九·八厘米 浙江省博物館藏

之一 之二 之三 題識：□□家蕩松木場

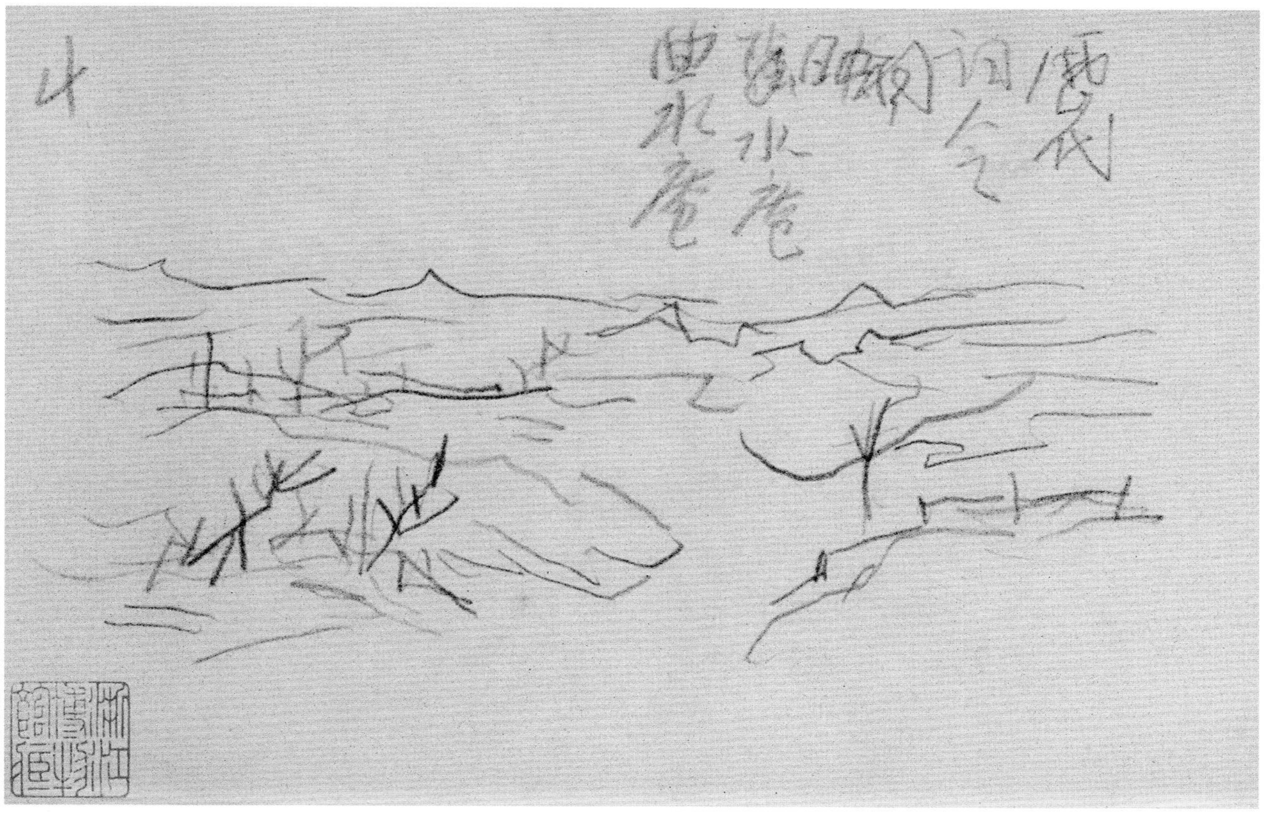

之四　題識：歷代詞人之詞中曰（陰）水庵　曲水庵

之五　之六　題識：太平橋

之七 之八 之九 題識：熊家户頭

之十　題識：老和山　之十一　題識：古蕩　之十二

滬杭寫生　十五幅

紙本鉛筆　縱一〇厘米　橫一五·五厘米　一九五四年作　私人藏

之一　題識：艮山門外自杭至滬

鈐印：賓虹九十後作　黃賓虹

之二一　題識：緑蔭　鈐印：黄賓虹

之三

題識：嘉興

鈐印：黃賓虹

之四

題識：楓涇

鈐印：黃賓虹

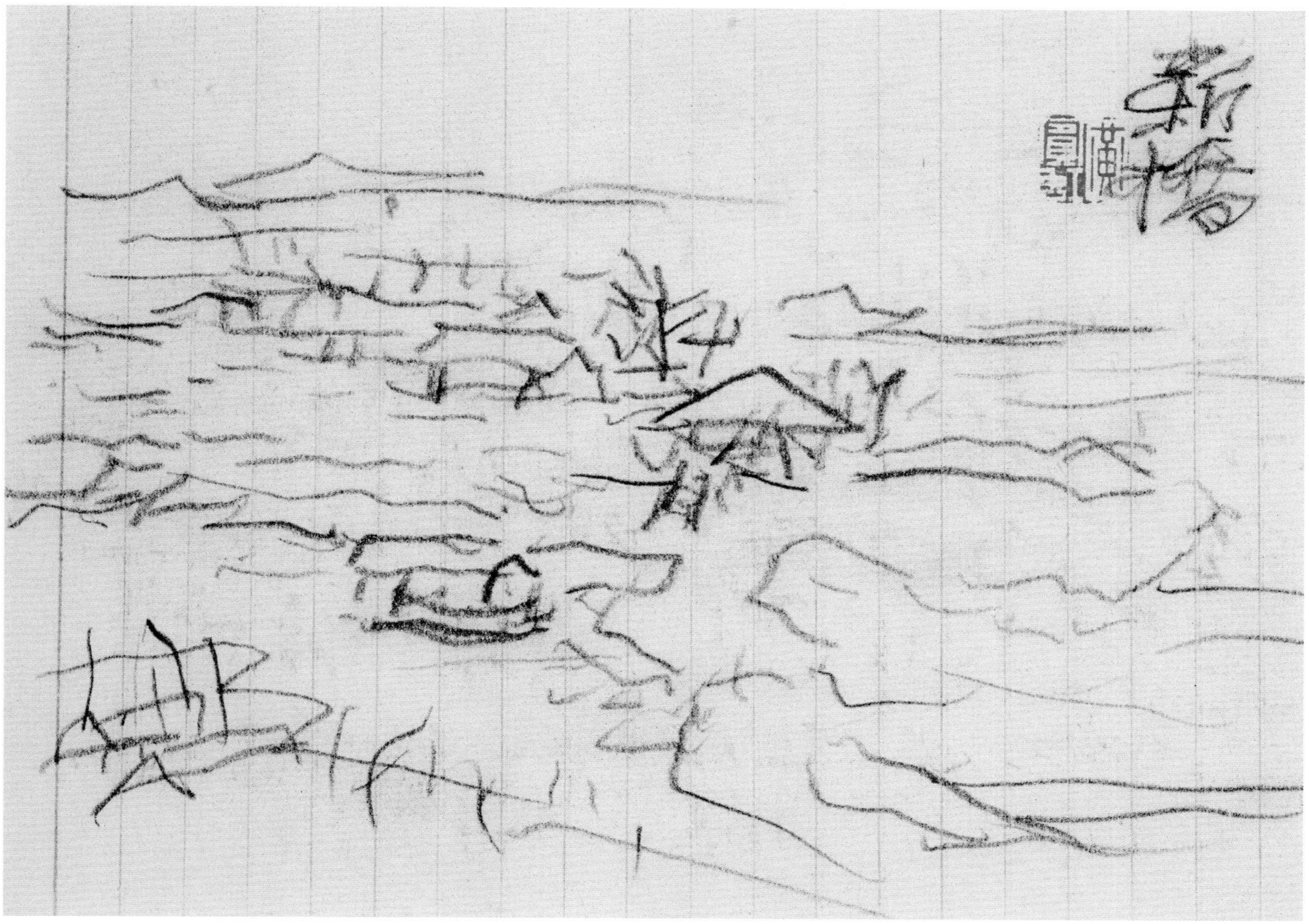

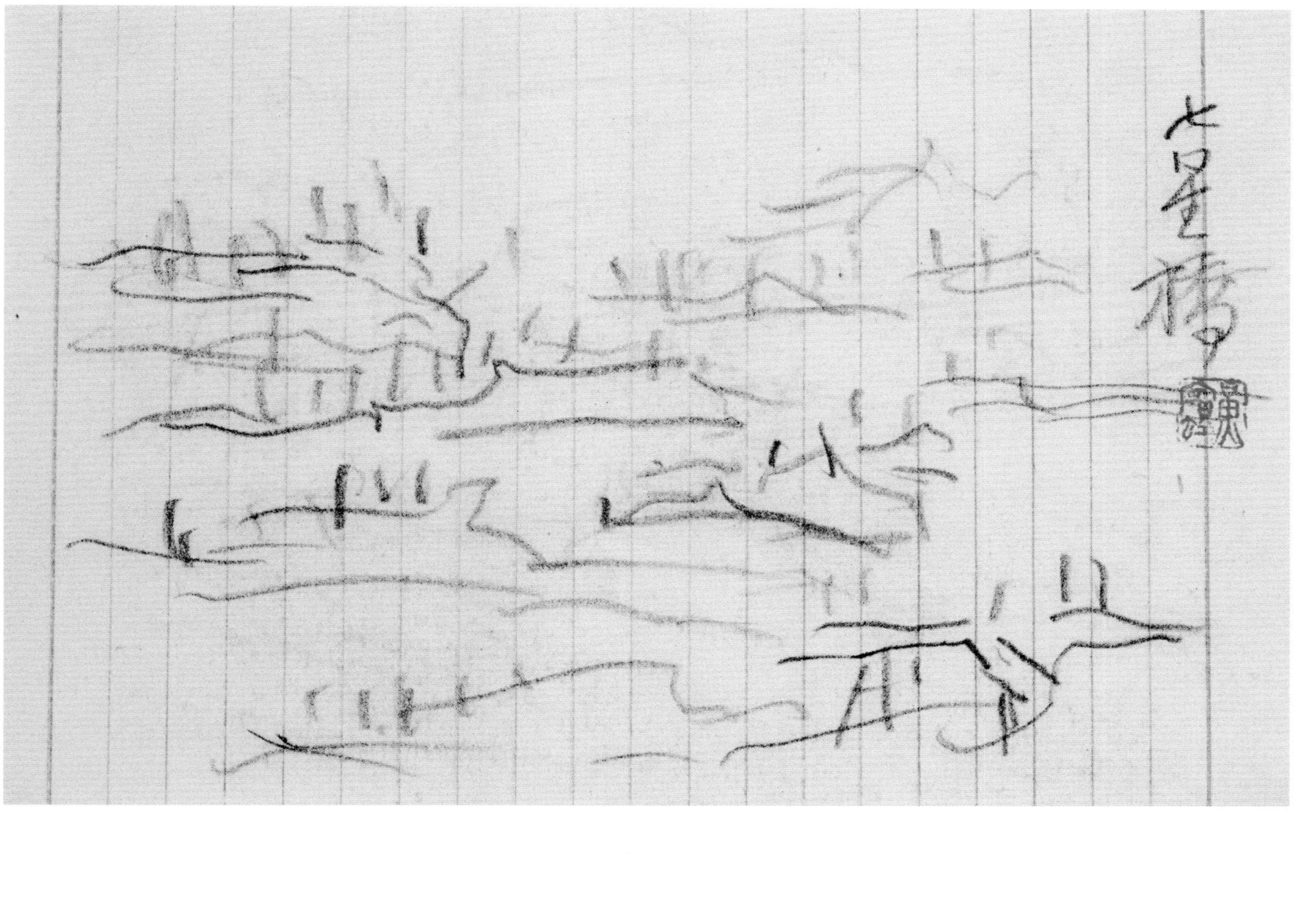

之五
題識：新橋
鈐印：黄賓虹

之六
題識：七星橋
鈐印：黄賓虹

之七　題識：臨平
鈐印：賓虹九十後作
之八　題識：臨平
鈐印：黃賓虹
黃賓私印　予向

之九
題識：七星橋
鈐印：黃賓虹
之十
鈐印：黃賓虹

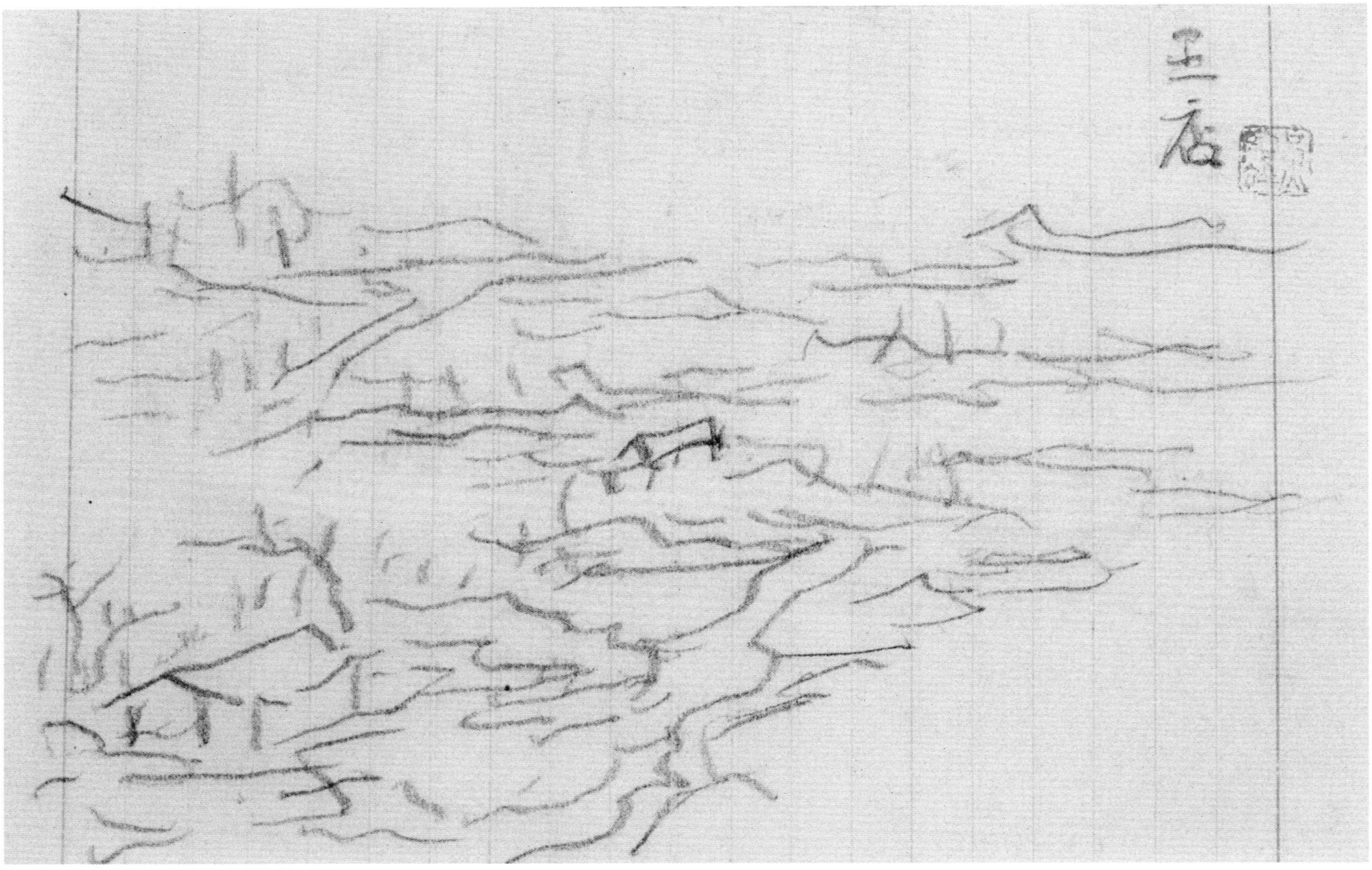

之十一　題識：王店

鈐印：黃賓虹

之十二　題識：王店

鈐印：黃賓虹

之十三　題識：松江
鈐印：黃賓虹
之十四　題識：松江
鈐印：黃賓虹

之十五　題識：西站　徐家匯　龍華　鈐印：黃賓虹

策　　劃・姜衍波　奚天鷹　王經春
主　　編・王伯敏
執行副主編・王經春
副　主　編・王肇達　趙雁君
分卷主編・吴憲生
文字總監・梁　江
導　　語・駱堅群
責任編輯・田林海　王勝華　俞建華　王肇達
釋　　文・俞建華　王宏理
文字審校・俞建華
裝幀設計・毛德寶　俞佳迪　王肇達　田林海　王勝華
責任校對・黄　静
圖片攝影・葛立英　鄭向農

圖書在版編目（CIP）數據

黄賓虹全集.6，山水畫稿/《黄賓虹全集》編輯委員會編.—濟南：山東美術出版社；杭州：浙江人民美術出版社，2006.12（2014.4重印）

ISBN 978-7-5330-2337-9

Ⅰ.黄… Ⅱ.黄… Ⅲ.中國畫-作品集-中國-現代 Ⅳ.J222.7

中國版本圖書館CIP數據核字（2007）第015683號

出品人：姜衍波　奚天鷹

出版發行：山東美術出版社
濟南市勝利大街三十九號（郵編：250001）
http://www.sdmspub.com
電話：（0531）82098268　傳真：（0531）82066185
山東美術出版社發行部
濟南市勝利大街三十九號（郵編：250001）
電話：（0531）86193019　86193028
浙江人民美術出版社
杭州市體育場路三四七號（郵編：310006）
http://mss.zjcb.com
電話：（0571）85176548
浙江人民美術出版社營銷部
杭州市體育場路三四七號十九樓（郵編：310006）
電話：（0571）85176089　傳真：（0571）85102160

製版印刷：深圳華新彩印製版有限公司

開本印張：787×1092毫米　八開　四十五印張

版次：二〇〇六年十二月第一版　二〇一四年四月第三次印刷

定價：柒佰捌拾圓